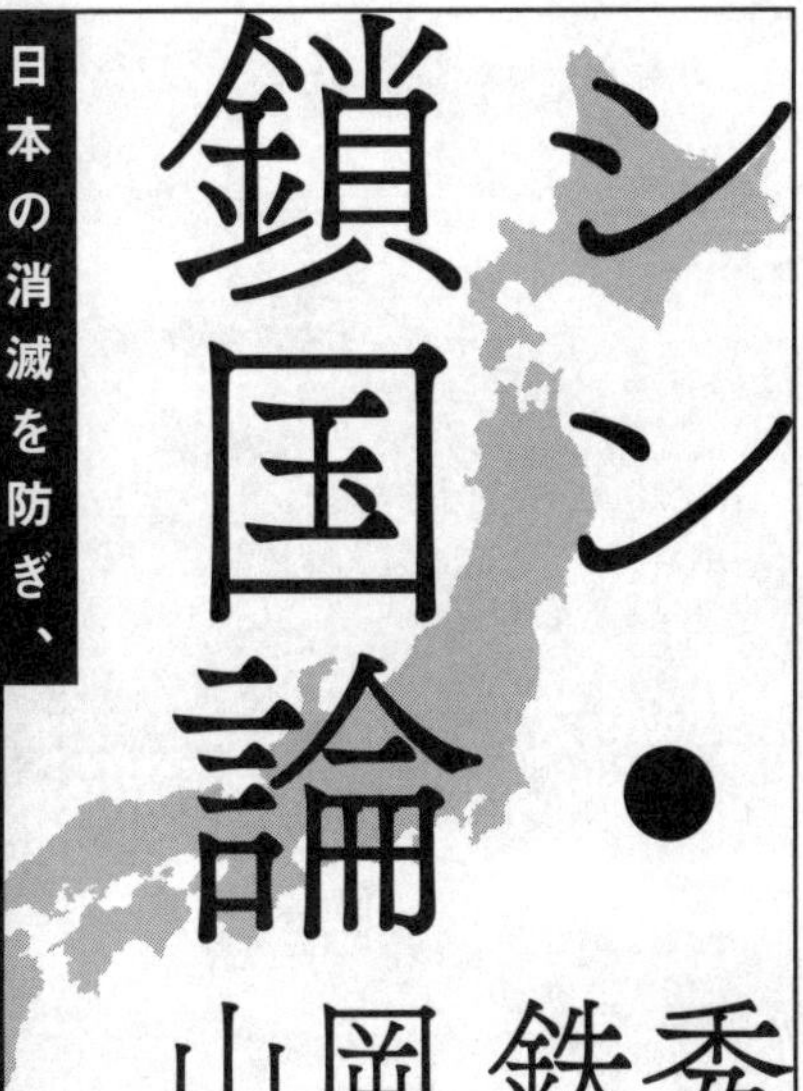

シン・鎖国論

日本の消滅を防ぎ、真の独立国となるための緊急提言

山岡鉄秀

方丈社

まえがき

2022年7月8日は、世界史に「日本滅亡の起点」として記憶されることになるのかもしれません。

安倍晋三《あべしんぞう》元首相が、選挙期間中に公衆の面前で暗殺されるという前代未聞の事件は、それ自体が衝撃的だったことはもちろんですが、その後、日本社会が音を立てて崩れているように思えます。

多くの心ある日本国民が、その後の岸田政権の迷走ぶりに衝撃を受け、「このままでは日本は本当に滅びてしまうのではないか」と、真剣に憂《うれ》うるようになりました。

世界史と書いたのは、日本が滅びてしまえば日本史も消滅するからです。

わが国の歴史上、これほど日本人が脆弱《ぜいじゃく》になった時代があったでしょうか？

私は、今の日本の弱点を克服し、復興させるためのキーワードの一つが本書のタイトルでもある「**鎖国**」だと思っています。

我々が受けた学校教育で、鎖国と言えば、引きこもり政策でキリシタンを弾圧し、日本の近代化を遅らせたネガティブな政策という印象が強いですが、まずその認識を改める必要があります。

16世紀末から17世紀初頭のあの時代は、西洋列強が帆船で世界中に繰り出し、世界各地で異民族を片っ端から虐殺、略奪、奴隷化し、あるいは植民地として支配することで、文化文明を破壊し尽くしていた時代でした。

キリスト教は、列強にとって征服と支配のための重要なツールでしたが、宣教師はその尖兵であり、工作員でもありました。

そのような時代において、悪逆非道の限りを尽くしていたスペインもポルトガルも、日本を武力によって制圧することは不可能であると早々に判断し、キリスト教の布教により、自発的に従属するように仕向けようと画策していました。

しかし、その目論見も英明な将軍たちに見破られ、ついには追い出されてしまいました。

当時、秀吉《ひでよし》や家康《いえやす》、秀忠《ひでただ》、家光《いえみつ》が、キリスト教を禁じ、**鎖国に動いていなかったら、日本は植民地化されていた**可能性が高いでしょう。少なくとも九州は失っていたでしょう。

あの頃の日本人は、一方で臆せずに異文化を取り入れながら、世界帝国の野望を見抜き、侵略を防ぎ、ついには追い返す武力と知力と胆力を備えていたのです。

日本で没した宣教師の中には、「日本人と比べればヨーロッパ人ははなはだ野蛮だ」と書き残した者もいました。

今、戦後最大の危機を迎えている日本人は、鎖国をこのような観点から見直す必要があります。ただ閉じこもるというのではなく、**主体的に取捨選択する胆力と知力を取り戻す**という意味においてです。

そして、現在日本が直面するさまざまな問題に主体的に取り組むためには、厳しい現実、つまり、アメリカによる戦後の日本統治は現在も続いていて、実質的に**日本はアメリカの属国である**という事実と正面から向かい合う必要があります。

戦後の日本の独立と主権回復は名目的なものに過ぎなかったのです。1951年に調印されたサンフランシスコ講和条約は、同日に署名された日米安保条約と日米行政協定（後に日米地位協定）によって骨抜きにされていました。吉田茂《よしだしげる》はそれを知っていたからこそ、自分一人で署名したのでした。アメリカ側も、日本側からの反発や連合国側からの批判を恐れて、直前まで安保条約調印のために署名する場所も時間も明らかにしませんでした。内容が明らかになれば、日本代表団のだれかは帰国後に間違いなく暗殺されるだろうとさえ思われていました。

吉田茂や白洲次郎《しらすじろう》が占領軍と対等に渡り合って日本の国益を守ったという話は、完全な嘘です。本当に占領軍とタフに交渉した人々は、公職を追放されてしまいました。吉田はマッカーサーに対してきわめて従順で隷従していたからこそ、何度も総理大臣をすることができたのです。

戦後の経済発展も、いわゆる「吉田ドクトリン」とは無関係でした。事実を曲げ、そういう人間をヒーローとして持ち上げていたのは、「日本人のプライドを保持し、米国による日本統治を容易にするため」のプロパガンダだったのです。

しかし問題なのは、知識人も含めて多くの日本人が今もなお、そのプロパガンダを固く信じ込んでいることです。

たとえば、吉田は次のように語ったと伝えられています。

「知恵のない奴はまだ占領されていると思うだろう。知恵のある者は番兵を頼んでいると思えばいい。しかしアメリカが引き揚げると言い出すときが必ず来る。そのときが日米の知恵比べだよ」

これを見て、吉田茂が賢いと思っている人が多いうちは、日本が生き残る可能性は限りなくゼロに近いと言わざるを得ません。

アメリカは引き揚げるどころか、自立心欠如の日本人に呆れながらも永久統治のメカニズムを完成させてしまいました。知恵比べどころか、これこそ**売国**の発想です。

今、日本人が真摯に耳を傾けるべきは、吉田茂ではなく、ジェイソン・モーガン麗澤《れいたく》大学准教授の次の言葉です。（2022年8月20日：令和専攻塾夏季集中講義にて）

「日本人はいつまで自国民をジェノサイドした敵国に自らの安全保障を委《ゆだ》ねているのか？　また同じことが繰り返されるだろう。アルメニアがトルコに、イスラエルがドイツに自国の防衛を任せると思うか？　岸田政権はナチ支配下のフランス・ヴィシー政権である。日本人はいい加減に目を覚ますべきだ」

平和ボケしきった日本人への、日本を愛するアメリカ人による叱責ですが、これが国際社会の現実というものです。

多くの日本人は、アメリカと日本は対等の同盟国だと信じ切っていますが、実際には日本を軍事的に独立させないように封じ込めながら、その日本を使ってロシア（ソ連）や中国を封じ込めるダブル・コンテインメント・ポリシー（二重封じ込め政策）や、日本を永遠に属国の位置に縛り付けるエントラップメント・アライアンス（罠の同盟）によってがんじがらめにされていると国際政治アナリストの伊藤貫《いとうかん》氏は指摘しています。

日本は地政学的に極めて危険な位置にあり、ロシア、北朝鮮、中国という核保有国に囲まれていますが、アメリカは、唯一の核被爆国である日本にだけは核武装を許さないというポリシーを貫いてきました。

自らを属国だと認識できず、対等だと信じている国ほど理想的な属国はありません。

アメリカの日本統治は実に巧みでした。自由民主党はその支配メカニズム（戦後レジーム）を保持するための政党に過ぎません。その戦後レジームに抗《あらが》い、日本独自の外交や経済政策を推進しようとした政治家は、皆不遇の最期を遂げてきました。

脆弱な日本はさらに、中国共産党による浸透影響工作（サイレント・インベージョン）と、世界経済フォーラムに象徴されるグローバル・エリート層によるグローバリズム（世界統一支配主義）に挟撃《きょうげき》されています。

詳しくは本文に譲りますが、WHO（世界保健機関）に国家主権を超越する権限を与えるとする、狂気の「パンデミック条約」への批准も目前に迫っています。

日本は複合的な脅威に晒《さら》されています。これはまさに、かつての大航海時代や幕末に匹敵する国家存亡の危機です。

国内では、外国からの不法滞在者や不法移民による治安の悪化が各地で社会問題化しているにもかかわらず、岸田首相は令和臨調でにわかに「移民受け入れに舵を切る」態度を表明しました。また、省庁や企業・大学・研究所などでは、中国工作員による技術や機密情報の窃取などの問題が横行し、国会では駐日アメリカ大使の言いなりになった岸田政権と自民党が、日本の文化と社会を根本から変質させるＬＧＢＴ理解増進法を強引に成立させるなど、「盗まれ放題、やられ放題」で、加速度的に国家の体《てい》をなさなくなってきています。

閉じるべきドアは、閉じなければいけません。そして、自立せねばなりません。日本を守るためのシン・鎖国論です。

この絶体絶命の危機を乗り越えるには、国民一人ひとりが、戦後の日本の在り方の真実を直視し、先人の気概と知恵を取り戻し、既存の政党や政治家や官僚任せにせず、自ら立ち上がるしかありません。本書がそのための一助となれば幸いです。

２０２３年９月

山岡《やまおか》 鉄秀《てつひで》

目次

2章 「シン・鎖国」によって防ぐべき敵とは？

グローバリズムと共産主義の脅威から日本を守る

2 現代日本が侵略を許してはいけない敵、それは徳川時代と共通

3 目前に迫る「ＷＨＯ＝世界政府」という悪夢

4章 「守るべき日本」を取り戻す

「属国日本の厳しい現実」を直視し、真の独立を勝ち取るために

197

1 「吉田ドクトリン」の完全否定こそ日本独立への第一歩

2 徹頭徹尾、日本のために――「重光葵《しげみつまもる》」の生涯

3 今もなお日本を縛り続けている密約とは

4 「歪められた言論空間」は、全体主義への一本道

1章

「移民解禁」という愚かすぎる政策選択

なぜ、世界の失敗に学ばない？
川口《かわぐち》クルド人問題は、ただの序章だ

クルド人問題——日本社会が初めて直面する異常事態

ケース①自宅の敷地内で外国人同士が殺し合い

想像してみてください。

あなたはいつも通り、笑顔の子どもたちと食卓を囲み、夕食の席で団欒《だんらん》しています。するると突然、耳をつんざくような車の急ブレーキの音が鳴り響いたかと思うと、玄関の外から男たちの意味不明の怒号が聞こえてきます。「ただ事ではない、何だろう」と恐る恐るドアを開けてみると、目の前で何人もの見知らぬ外国人たちがナイフを手に大乱闘しており、うち1人はめった刺しにされ、血まみれになっています。

やがて救急車が駆け付け、怪我人が救急病院に運ばれますが、抗争するそれぞれのグループのメンバーが押し寄せ、病院前の駐車場で100人ほどの外国人が激しく罵《のの》り合いながら明け方まで大騒ぎをし、その間、救急指定病院は患者の受け入れができない異常事態になりました。

乱闘をしていたのはクルド人（トルコ国籍）たちで、原因を聞けば、男女関係（不倫）

を巡るトラブルだったと言います。既婚の女性と関係を持った男を、女性の兄が殺害しようとしたとのこと。難詰《なんきつ》された男は車に乗って逃げたけれど、それを兄たちが2台で追跡し、追い詰められた男は、全く無関係なあなたの家の庭先に車を突っ込み、そこで喧嘩が始まったのでした。

たまたま道路に面した庭先に比較的大きな駐車スペースがあったというだけで、全く無関係なのに、自宅敷地内で外国人同士の乱闘が起き、玄関先を血の海にされる。

そんな恐怖を味わわされたのです。

ケース②自宅の1階に突然自動車が飛び込んでくる恐怖

これは、取材で川口の住民の方に、〝友人が実際に被害を受けたケース〟としてお聞きした話で、通り沿いに建つその友人宅の1階部分に、突然クルド人の運転する車が飛び込んできて、自宅がメチャクチャになってしまったことがあるというのです。どうやら、暴走して運転を誤ったということらしいです。

幸い、その時は家族に怪我はなかったものの、一歩間違えれば命を失うほどの大惨事だったはずです。

警察を呼び、補償の話をしようとすると、クルド人たちが次から次へと15人ほども集まって来て、興奮し、大声で叫び続けました。

言葉はわからないけれど、「なぜそんなに責めるのだ」と憤慨しているようで、同居しているお母さんなどは、恐怖で泣き出してしまったそうです。

いずれも警察は無力だったということで、普通に生活する権利が脅かされていると感じているようです。

連日、深夜近くになると、街の主要道路を爆音マフラーにした違法改造車や、大音量のカー・オーディオの音を誇示するように窓を開けたまま猛スピードで爆走する車が列を連ね、住民たちの安眠を妨《さまた》げます。

彼らの溜まり場となっている店では、明け方近くまで、ドアや窓を開けたままカラオケに興じて大騒ぎが続きます。公園や街中のコンビニの店頭に集団で屯《たむろ》しては酒を飲んで騒ぎ、喧嘩沙汰もしばしば。ごみはもちろん散らかし放題、そして、日本人女性を見かけたら執拗にナンパを繰り返す。

これが、2023年の埼玉県川口《かわぐち》市や蕨《わらび》市でたった今起きている現実なのです。

川口市、そして隣接のワラビスタンを現地取材

近年、埼玉県の川口市、蕨市に定住しているクルド人（トルコ国籍）の動向が世間の耳目を集めています。川口市は、全国でも東京都新宿《しんじゅく》区に次いで「住民の外国人比率が高い自治体」であり、蕨市は日本で人口密度の最も高い自治体としても知られていますが、クルド系住民が急増したせいで、最近は「ワラビスタン」と称されることもあるようです。

正確な全体像は把握されていませんが、クルド人たちは2023年に入って倍増し、4000人くらいいるのではないかと言われていて、そのうち3分の2以上は、住民登録がない〝不法滞在者〟ではないかと推測されています。

基本的にはイスラム教徒とのことですが、総じて敬虔《けいけん》ではなく（飲酒の習慣がある者も多い）、日本社会とのトラブルは宗教的生活様式に由来するものではなく（土葬の習慣といった問題はありますが）、遵法《じゅんぽう》精神が皆無で日本の法律や最低限の常識的なふるまいを一向に理解しようとしない点にあるようです。

誤解を恐れずに言うと、日本人には理解できないほど粗暴で素行が悪いというのです。

彼らは、大小複数の**クラン**（一族郎党）ごとに団結し、利害が一致しない部分ではいつ

も抗争を繰り返しています。

また、自動車が大好きなようで、改造車で深夜に暴走したり、集団で夜の街を徘徊したりして地元住民に「恐怖」を感じさせているようです。

「違和感」とか「不快」ではなくて、「恐怖」という点に注目してください。

幸い、今までのところ強盗殺人とか強姦事件が頻発しているというような話は聞いていませんが、ごみの分別や集配日のルールを守ることなどはもちろんできず、所かまわずに捨て散らかし、日本人女性を見れば執拗にナンパする、取り締まりに来た警官に対しては反抗する、トルコ大使館前でトルコ人と意図的に乱闘騒ぎを起こす（2015年の大統領選の在外投票の際のトラブル）等々、実に迷惑千万な存在のようです。

クルマ好きであるとともに、SNSによる発信も大好きなようで、インスタグラムなどには自分たちが犯している違法行為を写真や動画で自慢げに投稿する例がたくさん残されています。これも理解に苦しむ行動です。

そうした実態を知りたいと思い、川口市や蕨市のクルド人問題を精力的に追跡・発信しているジャーナリストの石井《いしい》孝明《たかあき》氏にアレンジとご案内をいただく形で、2023年8月

川口市内のコンビニの店頭には、人が長居できないようにカラーコーンとコーンバーなどでバリケードが作られている。そうしないと、数十人が何時間も店頭でたむろして、市民が近寄れなくなってしまうそうだ。（写真は筆者撮影）

に現地を取材しました。

　JR蕨駅で降り、打ち合わせのために駅から遠くないケバブショップ（日本に来て成功しているクルド人が経営する店）に入ると、何となく既視感《デ・ジャブ》を覚えました。

　店の入り口近くにはバーカウンターがあり、奥に5つほどのテーブル席があります。香辛料の香り、インテリアの設《しつら》えや流れている音楽を含めて、この雰囲気はどこかで経験したことがあると思ったのですが、やがて思い出したのは、オーストラリア最大の都市、シドニー西部にある、中東系の住人が多く住むエリアにある店のことでした。

　ついに、日本にもこういう店、そして

街が誕生したのかと思いました。

石井氏が組んでくれた取材当日のスケジュールは、

①「改造車による暴走」のメインストリートである前川《まえかわ》近辺のエリアや店舗を見る。

②2023年7月4日夜に起きた殺人未遂事件の現場と、被害者が担ぎ込まれ、その後対立した双方のグループ100人が暴動を起こした救急病院である川口市立医療センターを見る。

③川口市在住の日本人（男女お一人ずつ）に「身近なクルド人問題」についてインタビューする。

④クルド・アパートと称される、クルド人ばかりが住むアパートと、その近辺の改造車を作るファクトリーを見る。

⑤クルド人が経営する「ヤード」と呼ばれる廃材置き場を見る。

⑥当日、スケジュールを空けてくれた川口市議会議員にインタビューするというところがメインの柱で、あとは現場の流れで取材を進めようということになりました。取材には、ジャーナリストの我那覇《がなは》真子《まさこ》氏も同行していました。

川口のクルド人たちは、難民ではない

クルド人といえば、〝世界最大の少数民族〟として知られているかと思います。

ここでは詳しく説明しませんが、クルドはトルコ、イラン、イラク、シリアの山岳地帯に住む民族で、人口は3000万人〜4000万人とされ、歴史上一度も「独自の国家」を持ったことはありません。

第一次世界大戦でオスマン帝国が消滅した後はトルコ政府に同化政策を強いられ、従わない場合には抑圧されたため世界各国に難民として逃げ出しているというイメージがありますが、1990年代にトルコがEU加盟のために社会・司法制度を変更して以降、現在は同化政策や死刑も廃止され、差別政策は行われていないとされています。

トルコの人口の2割弱に当たる1500万人がクルド人であり、左派のHDP（国民民主主義党）系列とされるYSP（緑の左派党）はクルド系の政党で、その60議席はトルコ国会の約1割の議席を占めています。国会議員選挙の際の在外投票も実施されています。

エルドアン大統領の率いる政権与党であるAKP（公正発展党）を支持するクルド人も実は多く、公共投資によってクルド人の多く住む東部は、近年大きな発展を遂げました。

しかし一方で、武装テロによる反政府活動を行うＰＫＫ（クルド労働者党）という組織があり、実際に武力的な衝突もありますが、テロ活動家以外のクルド人においては政治的自由が保障されていると言えます。つまり、彼らは難民ではありません。

川口市に住むクルド人たちは、トルコの南東部でシリアやイラク国境に近い僻地と呼べる貧村からの出身者が多く、教育水準はかなり低く、義務教育さえも受けていないようです。クルド語はトルコ語の方言ではなく、「語族」からして違う完全な外国語です。

もともと識字率が低く、トルコ語どころかクルド語でさえきちんと習得できていない人が多いだけに、語彙《ごい》も乏しく、複雑な会話をすることはなかなか困難なようです。

川口や蕨の街中にはいたるところに「日本語、トルコ語併記（一部は英語も）」の看板があり、コンビニの店舗前で長時間集まるなど迷惑行為をしてはいけないとか、ゴミ捨てのルールについても表記されていましたが、クルド人の中でトルコ語表記を正しく理解できる人がどのくらいいるのかは疑問です。

悲惨なのは子どもたちで、日本で生まれても、日本語もクルド語もトルコ語も十分に操れないため学習意欲が乏しく、小学校高学年になると不登校になり、男の子たちはクルド人が経営する解体業で働くケースが多いようです。川口市当局では児童の日本語習得のために補習支援もしているのですが、数百人いるはずの支援対象者（児童）のうち、クルド人の利用者はわずか7名に過ぎないとのことで、利用されていないのが実態です。

こうした状況が続けば地域内でさらに孤立化が進み、子どもたちは半グレになって迷惑行為に走るという悪循環が続くのではと懸念されます。当然ながら住環境も悪く、家賃の安い狭い部屋に集団で住み、雑魚寝状態の人たちが大半だということです。

親日国・トルコと日本の良好な関係が不法滞在者を増やしている皮肉

そんな状態なのに、なぜ彼らは日本にやって来るのでしょうか？　理由としては、それでもトルコで暮らすよりは〝**まだ経済的にはマシ**〟だと考えるからです。

では、トルコでも貧しいという彼らがどうやって日本まで渡航して来て、今、どのように生計を立てているのかを考えてみましょう。

過去に来日し（合法的に入国しているかどうかは人による）定住しているクルド人の中には成功者も現れました。具体的に言うと、解体業、産廃業、ケバブショップの経営などで利益を上げている人たちです。

そもそも、日本とトルコとの関係はたいへん良好で、とびきりの友好国だと言えます。

一つは**エルトゥールル号遭難事件**がその契機になっているでしょう。１８９０年（明治23年）に、本州最南端の和歌山県串本町《くしもと》沖で、オスマン帝国の軍艦エルトゥールル号が折からの台風の影響を受けて座礁、機関が爆発して５８７名が死亡するという大変な海難事故がありました。このとき串本町の人たちが救助作業に当たり、69名の命を助けたのです。

串本町の住民たちは、生存者を救うため、勇敢に荒れ狂う夜の海に飛び込んだり、低体温症で仮死状態だった人を夜通し裸で温めたりと、文字通り命がけで乗務員たちの命を救いました。そして明治政府は生き残った乗組員たち全員を２隻の軍艦に乗せ、無事にオスマン・トルコまで送り届けたのでした。

この遭難事件のことは「海難１８９０」という感動的な映画にもなり、『日本、遥かなり』（門田隆将《かどたりゅうしょう》著・ＰＨＰ研究所）というノンフィクション作品の中でも詳しく書かれているのでご存じの方も多いと思いますが、トルコ政府はこの救難活動を行ってくれた日本に対して深く感謝し、小学校の教科書にも載せているため、トルコ人で親日感情を持たない人はほとんどいないのだと聞きます。

一方、１９８０年に始まったイラン・イラク戦争がエスカレートして都市攻撃戦が始まった1985年に、現地駐在や出張でイランにいた日本人を救ってくれたのがトルコでした。

3月17日、イラクのフセイン大統領が突然、「今から48時間後より、イラン全土上空を『戦争空域』に指定する」、つまり、軍用・民間の区別なく、イラン上空を飛ぶ飛行機は無条件に攻撃すると宣言したため、各国政府は自国民をイランから脱出させるために、大慌てで救援機をイランに飛ばしました。しかし、あろうことか当時の日本政府（中曽根政権）は「安全が確保できない」「自衛隊機を外国に飛ばすのは憲法に抵触するのでは？」と、救援機を出さず自国民を見捨てたのです。なんと情けないことでしょう。

イラン国内には当時215名の日本人がいましたが、出国できないと聞いて絶望していたところ、タイムリミットが刻々と迫る中、テヘランのメヘラバード空港にトルコ航空の特別機が2機着陸します。邦人たちは全員このトルコ航空機に分乗し、無差別攻撃が開始される直前、無事にイランを脱出してイスタンブールに到着することができたのです。

この救出劇には、森永《もりなが》堯《たかし》氏という日本人商社員の奮闘が大きく関わっていたことも忘れてはいけません。政府や外務省が見捨てた海外邦人の命を、この人物がトルコ首相だったオザル氏との友情と信頼関係で救ってくれていたのです。

トルコ政府は、イラン国内に残っていたトルコ国民よりも日本人を優先して飛行機に搭乗させるなど、たいへんな便宜を図ってくれたのですが、当時の駐日トルコ大使、ネジアティ・ウトカン氏は、「私たちは、エルトゥールル号の借りを返しただけです」と答えたそうです。

話をクルド人問題に戻しましょう。

こうした歴史を背景として、日本とトルコの間には「90日以内の滞在であればビザを免除する」という協定が結ばれているわけですが、この「ビザなし」の条件を使ってトルコ国籍のクルド人が次々と来日してくるわけです。

彼らの来日と就職を斡旋するクルド人グループもあるようですが、トルコにいるクルド人たちはほとんど貧しいため、だいたいは先述した〝すでに日本で成功している〟クルド人が、クラン（一族）を呼び寄せる形で渡航費用を負担しているようです。

90日が経過した後、一旦出国してから戻る者もいれば、そのまま不法滞在を続ける者、さらには難民申請をする者もいます。２０２３年6月にようやく入管法（正式には出入国管理及び難民認定法）の改正案が参議院本会議で可決、成立しました。従来は、「難民認定の申請中」であれば送還が認められていませんでしたが、今回の改正によって、３回以上難民申請をした人の送還が可能になりました。それまでは、難民でない人が送還を免れるために申請を繰り返す「濫用」が頻発しており、実際に難民申請を繰り返すことで20年以上滞在しているクルド人もいるそうです。

繰り返しになりますが、日本に来ているトルコ国籍のクルド人たちは難民ではないし、移民とも違います。川口市に集住しているクルド人たちは、経済的理由で日本に来て、入国後は不法滞在を続けているケースがほとんどなのです。

今回の入管法改正に関して、「日本は諸外国と比較して難民認定率が低い」とか、「難民申請中の送還は国際法違反だ」という批判もありますが、難民保護の問題と外国人の不法滞在に伴う社会問題の多発という問題を同列で語ってはいけません。

川口のクルド人問題は、一つは出入国管理の運用の失敗であり、もう一つは、日本社会における労働集約型産業をどう維持していくかという構造上の問題につながっていきます。その意味で、本書のテーマである「鎖国」についての議論の中心課題の一つだとも言えるでしょう。

直視すべき構造上の問題とは

解体業や産業廃棄物処理業は、労働集約型でもあり、正直言って最近の日本人がやりたがらない、厳しくキツイ仕事です。クルド人経営者は、不法滞在のクルド人を使うことによって人件費（コスト）を極端に抑え、格安料金で仕事を請け負うことができます。また、解体した資材の一部が（コスト削減のために）非合法に廃棄されているのではないかとの疑念もあります。

いずれにせよ、日本で日本人がやりたがらない仕事に就《つ》くことによって、トルコの寒村で農業をしている時よりもずっと高い収入を得ることができるからこそ、90日間のビザ免除を使って次から次へとクルド人がやってきているというのが基本図式です。

少し俯瞰的に考えてみると、ここから今の日本社会が直面している構造上の問題が見えてきます。「労働者不足」を今後どうしていくかという問題です。とくに、労働集約型の事業形態の仕事では、現状でもかなり外国人労働者に依存しています。

都市部のコンビニは、外国人留学生などのアルバイトなしではおそらく回っていかないでしょうし、農業でも技能実習生たちの手を借りないと経営が成り立たないという声をよく聞きます。実際、コロナ禍で外国から技能実習生が来なくなってしまい、作業が間に合わずに赤字を膨らませて廃業を選んだという農家も少なくないようです。

技能実習制度が、実際には奴隷制度に近いような劣悪な労働環境で運営されているとか、賃金の未払いや遅配があるといった問題もかなり指摘されており、その一端が青春社会派映画として注目された「縁の下のイミグレ」（なるせゆうせい監督・2023年）などでも描かれていました。

解体業のようなキツイ仕事や、建築・建設等の現場、農業のように天候に左右され、計画的に休みがとりにくい業種……労働集約的で、かつ請け負い価格で叩かれる仕事を、外国人労働者に依存せずに回していけるかどうかというのは重要な問題ですが、岸田首相は2023年7月の令和臨調において「労働力人口が減るわけだし、人口減少問題はすぐに解決できないので、大幅に政策的転換をして移民を積極的に入れ、日本らしい共生社会の道を探っていく」という趣旨の考えを発表しました。

さらに、「特定技能2号」の対象業種も驚くほど拡大する方向に向かっています。

どうやら、十分な国民的議論を経ないまま、なし崩し的に〝国境をガラ空き〟にする気満々なようです。

知財・人材等の保護や支援に関して、経済安全保障を踏まえた長期的観点から、「産・学・政府」の中で議論を尽くし、わが国にとってどのような対応が最も有効かという検討が多面的になされなくてはいけません。残念ながら近年の「官」には、国家百年を見据える視座は全く見受けられませんから、「官」がしゃしゃり出てきて〝つじつま合わせの説明〟のために提案する政策案は、日本を滅亡の淵に近づけるだけだろうと思います。

今、日本はまさに大きな分岐点を迎えようとしています。ここで間違った道を選択すれば、取り返しのつかないことになります。

移民政策について考える際、われわれの目の前にはすでに先例というか巨大な失敗例があります。ヨーロッパ諸国がそれです。なぜそれに気づかないのか、不思議でなりません。

先見の書、『西洋の自死』に学ばない愚かさ

イスラム教徒は概して多産ですが、西側先進国では既にイスラム系移民の人口が急増し、白人の比率はどんどん低下しています。西洋のイスラム化が加速度的に進んでいるの

です。

このヨーロッパ文明の変質と崩壊に鋭く警鐘を鳴らしたのが、『西洋の自死』（東洋経済新報社・町田敦夫《まちだあつお》訳・中野剛士《なかのたけし》解説・2018年）を著したイギリスのジャーナリスト、ダグラス・マレーでした。原著は2017年刊ですから、今から6年前のヨーロッパ社会を分析した論考です。

マレーは、イギリスを中心に、欧州各国がイスラム系移民や難民の過剰な受け入れによって、人口動態に不可逆的な変化をもたらし、国の在り方まで変わりつつある事実を赤裸々に描写しました。

たとえば、2011年のイギリスの国勢調査によれば、ロンドンにおける白人系イギリス人の割合は既に44・9％と、半数以下になっており、ある学者の予測によれば、2060年までにはイギリス全体でも白人系イギリス人はマイノリティに転落してしまうというのです。また、白人の国というイメージの強いスウェーデンでも、今後30年以内に、スウェーデンの主要都市全てで生粋のスウェーデン人はマイノリティになってしまうと予想されています。

ヨーロッパは、第二次大戦後、「労働力不足に対応するために移民を大量に受け入れ」、やがて「移民なしではやっていけなくなり」、「望んでも流入を止められなくなった」と明確に書かれています。そして、「政策の失敗によって自動的にイスラム化してしまう」と、ほぼ断定しています。

21世紀において、宗教戦争を経ずしてイスラム教徒がキリスト教徒を駆逐することになるとは、何という皮肉でしょうか。

2023年6月27日、フランスのパリ郊外で車を運転中だった北アフリカ系の17歳の少年が、警官の制止を振り切って車を発車させたため撃たれ、死亡した事件をきっかけに大暴動になったニュースをご記憶の方もおいでかと思います。

この事件を受け、「差別意識に基づく射殺だ」などという声が挙がり、暴徒化したデモ隊がショットガンや火炎瓶で警察を攻撃したり、住宅や公共施設への放火や市長宅襲撃へと発展しました。商店を襲っての略奪、放火、暴行が連日続き、ベルギーとスイスにまで拡大し、フランス国内だけでも3000人を超える逮捕者を数えたとのことです。被害額は1600億円近くにのぼるとも言われます。

ヨーロッパ各国で、不法移民の増加に伴う社会の軋《きし》みは限界に近付いているようで、フランスに留まらず、各国でイスラム系移民による白人系住民に対する過激な暴力行為や性犯罪が多発しています。

フランスでの射殺事件に端を発しての大暴動に類するような事件は多く、イギリス、ドイツ、ベルギー、スウェーデンのような国々でも、川口市を遥かに上回るスケールでイスラム系移民による白人系住民に対する過激な暴力行為や性犯罪が多発しています。

しかし、奇妙なことに、白人系ヨーロッパ人たちはそれに対して毅然たる対応を取らず、曖昧なままにしている様子が『西洋の自死』には描かれています。

いったいなぜでしょうか？　マレーによれば、ヨーロッパ人は自らに課したポリコレ（Political Correctness＝政治的正しさ）によって自死を選んでいるというのです。

つまり、「白人はかつて植民地を支配し、有色人種を差別し、迫害し、搾取した罪がある」「イスラム教徒を批判するのは宗教差別だ」といった観念に自縛されていると。

これは、アメリカを骨の髄まで腐敗させているCRT（Critical Race Theory＝批判的人種理論）のヨーロッパ版です。言い換えれば、極左リベラリズムによってヨーロッパは自ら死を選び取り、自滅に向かっているということです。

もうひとつ注目すべきは、この本の日本語翻訳書の巻頭で【解説】を書いている中野剛志氏による「はなはだ遺憾ではあるが、我々日本人は本書を『日本の自死』として読み換えなければならなくなった」との厳しい指摘ではないでしょうか。

残念ながら私たちは、マレーによって2017年の時点で明確に「取り返しのつかない失敗」として詳細に分析されていた問題を看過して**本質的な検討を一切しないまま、2023年の今、**この現実を突きつけられているということです。

「移民は経済成長のために必要だ」とか、「高齢化社会では移民を受け入れるしかない」とか、「移民は文化を多様で豊かなものにする」など、ヨーロッパを移民社会に進ませたのと同じロジックを、まさに今の日本も大声で広めようとしているように思えます。

他国の失敗例から何一つ学ばぬまま、日本も「自死」に向かうつもりなのでしょうか？

座して「移民ラッシュ」を招けば、日本は消えてなくなる

日本在住の外国人は、2000年の時点で131・1万人だったのが、2022年で3

00万人。この2年半はコロナ禍で外国からの流入を止めていたわけですが、それでも2・3倍ほど増えています。

OECD(ロシアを加えて38カ国)の最新データは2018年のもので、コロナ禍以前のデータですが、日本への年間での外国人流入人口は約52万人。ドイツ、ギリシャ、アメリカ、スペインに次ぐ5位です。なぜこんなにアメリカへの流入が少ないのか? と疑問に思ったら、トランプ政権時代で壁を築いて移民の流入を厳しく制限していたのでした。

バイデン政権下で国境を開いた現在は、毎年200万人を超える不法移民が世界中から押し寄せ、文字通りアメリカ社会を完全崩壊させているのですが、その事実を日本できちんと報道するメディアはほとんどありません。

バイアス抜きの情報は、自分で求めない限り手に入りません。

私たちは今、「閉ざされた」というより、むしろ「意図的に歪められた言論空間」を生きているのです。

前掲のマレーの『西洋の自死』のサブタイトルは、「移民・アイデンティティ・イスラム」というものでした。地理的、文化的な要因もあるので、日本がヨーロッパの写し絵のようにイスラム化されるとは思いませんが、「移民」を日本のアイデンティティ破壊に利用しようとする勢力が存在することを忘れてはいけません。

川口で起きていることに象徴されるような、遵法意識ゼロのまま日本に不法滞在しているクルド人たちの問題を前に、「クルド人は可哀そうな人々だ」と叫び、具体的な問題を指摘すると「人種差別だ」と騒ぐ左翼活動家団体が存在し、それらと連携することで相互に便益を受けているクルド人グループがあります。

外国人への生活保護費負担や医療費、社会保険料負担もかなり大きくて、そこには典型的な「弱者ビジネス」が成立していて、現状を看過するなら、日本国民が今後継続的に重い負担を強いられるようになると考えなければいけません。

「次世代のためにも、全国各地に同じ問題が拡大する前に解決しなくては」と考えるのであれば、早急に議論を重ね、迅速に動く必要があります。政府としては明確に「移民受け入れ」に舵を切ると宣言したわけで、もしそれを望まないのであれば、はっきり声を挙げなければいけません。

放置すればヨーロッパの二の舞となり、ドイツやフランスのようになるのは自明の理です。

移民だった私が、20年間のオーストラリア生活で経験したこと

私自身、オーストラリアに20年以上も暮らした移民のひとりだったわけですが、その経験から言えば、能力が高く、道徳心があり、親和的な移民であれば、受け入れ国に大きなベネフィットをもたらし得ます。

そもそも移民の受け入れは、かつてのオーストラリアのように、国土が広くて資源は豊富にあるが、人口が少なくて国を維持するのが困難な国こそが考えるべきことです。

オーストラリアは１９７０年代まで悪名高い白豪主義を維持していましたが、それでは国の存続が危ういので、やむを得ず１８０度方針を変え、移民を受け入れる多文化主義へと転換しました。

それも最初はイタリア人やギリシャ人などの南ヨーロッパ人の受け入れから始めました。

オーストラリア政府の偉いところは、ヨーロッパや今の日本のように、低賃金労働者を貧困国から受け入れようとしなかったことです。

基本的に、オーストラリアにとって必要で、かつ不足しているスキルを有する外国人を受け入れ、**オーストラリア人の職は奪わない**ことを前提としてきました。

難民の受け入れにも厳しい姿勢を保ち、審査のための一時滞在には、わざわざ西オーストラリア州の州都パースから2360キロメートルも離れたインド洋のクリスマス島に施設を建設したぐらいです。

それでも完璧とは言えず、共産主義の中国から移民を入れ過ぎたなどの問題があるとはいえ、ヨーロッパやアメリカのように瓦解していないのはそのせいです。

オーストラリアは、元々がイギリス系の国なので、お世辞にも食文化が豊かとは言えず、苦労したものです。しかし、2000年のシドニー・オリンピックを過ぎた辺りから急速に食文化が発展し、今では見違えるほどのグルメ国になりました。

まさに隔世の感があります。

さまざまな民族の優秀な頭脳や才能が集まった際に発揮されるパワーは、凄いものがあります。それが今のオーストラリアを支える強みだと言えるでしょう。

かつて私が留学を決めたころ、たいていの日本人がオーストラリアに対して抱いていたイメージは、コアラやカンガルーのような珍しい動物がいる田舎国家という感じでしたが、日本が「失われた30年」で停滞している間に、国民1人当たりGDPではとっくに抜かれ、現在ではオーストラリアのほうがずっと豊かな国です。

日本がオーストラリアから学ぶべき点もたくさんあるはずです。

移民は、オーストラリアのように大局観に基づいてポリシーを立て、戦略的に受け入れるなら大きなベネフィットもありますが、その際、**絶対に必要なのは厳格な統制です。**日本に住むのであれば、どの国から来た人であっても日本の法律を遵守し、日本の文化や伝統を尊重し、進んでコミュニティに溶け込む努力をするのは当然のことです。そこから逸脱する者には厳しく対処しなくてはなりません。

「厳しい管理」なき異文化共生はあり得ない

ところが、その統制・厳しい管理が苦手なのが日本人なのです。

外国人たちは「日本人は何か対立があっても謎の微笑で切り抜けようとする」と、議論によって白黒を着けようとしない日本人の態度に首を傾げます。

「察する文化」には、優れた面と、全てを曖昧なままにして責任を取らないというダメな面の両面があります。

ゆるゆるな基準で生活保護費を支給してしまう問題もあれば、言葉が通じないからという理由で、外国人が犯罪を犯しても逮捕しなかったり、起訴すべきなのに曖昧にしてしまうことなどは、すべてを「事なかれ」で済まそうとする日本のダメな面の表れでしょう。

外国人への生活保護費負担金（事業ベース）だけで、わが国は毎年1200億円を負担していますが、外国人の前に、まずは日本国民を救うべきではないかという声が日に日に大きくなっています。医療費や社会保険料負担も加速度的に増えています。

今の日本人には残念ながら異民族である移民をコントロールする能力はありません。単純労働力が不足したなら、安易な移民導入に走るのではなく、世界一を誇るロボット技術の応用などを含め、中・長期的視野に立って産業構造を変えることを考えるべきだと思います。それがグランドデザインというものではないでしょうか？

前述のとおり、政府は国の基本方針を変えて移民導入に積極的に舵を切ると宣言したわけですが、それは産業界からのプッシュが強いせいでしょう。確かに、当面の労働力が足りない分野はあるかもしれませんが、その際に発展途上国から低賃金労働者を入れて定住させるという、ヨーロッパ諸国が既に大失敗して、自らの文明喪失にまで帰結したモデルを真似て繰り返すことは、言うまでもなく愚の骨頂です。

韓国や台湾、また中国はおろか、タイやベトナムといった国々と日本の経済格差は縮まり続けており、国民一人当たりGDPや最低賃金の比較でも猛追され、あるいは後塵を拝すようになってきています。

技能実習などという詭弁で、実態は外国人を低賃金労働者として使おうなどという発想は言語道断です。

労働力がどうしても必要なら、移民ではなく、最初から期間限定の労働者として受け入れるべきです。

たとえばオーストラリアの農場では、**季節労働契約**でトンガ人を受け入れています。トンガ人労働者はしばらく家族と離れてオーストラリアで働きますが、契約通りに報酬を得て帰国し、子どもをより良い学校に入れたり、家を建てたりして生活の向上に役立てます。ここではWin & Winの関係が成立しています。

日本も、作業工程においてできるだけ単純労働を減らす努力をしながら、必要な労働力に対しては十分な報酬を払って、期間限定で外国人労働者を受け入れ、満足して帰ってもらうようにすべきです。外国人を安く使おうなどという発想は、不遜で不道徳でしかありません。まして、不法滞在者を安く使おうなどというのは言語道断であり、自らを亡ぼす行為です。

クルド人問題に国と行政がきちんと対処できるかが一つの試金石

川口市で起きているクルド人問題は一つのモデルケースではないかと思います。川口市や蕨市、埼玉県、そしてなにより政府がこの問題に対して納得できるガイドラインを作り、外交を含めた制度的対応を実行できるか否かによって、この国の10年後、20年後の姿は明らかに変わってくると思います。

クルド人たちは難民でも移民でもありません。日本とトルコとの友好関係に基づく90日間のビザ免除が悪用され、いつの間にか住民登録もないクルド人人口が膨れ上がり、治安の悪化という深刻な社会問題を起こすに至っただけです。

国が「問題先送り」で済ませてきた杜撰《ずさん》な入国在留管理が招いた結果にすぎません。多文化主義とも異文化共生とも関係ないのです。

不法滞在者に厳しく対処せず、難民申請を無制限に受け付けるなど、制度的な不備を放置するようなだらけたことをしていたから、こういう事態に至っているだけで、「本来やるべきことをしっかりとやれ」というほかありません。

日本に来ているクルド人たちは、ほとんどトルコ国籍なのですから、トルコ政府と相談して、ビザ免除を廃止すればいいと思います。日本人がトルコに行きたくなったらビザを取ればいいだけのことです。米国との間のＥＳＴＡのような新しいチェックの仕組みを考えてもいいのかもしれません。

そして、不法滞在者は摘発して強制送還し、違法操業をしている業者は摘発して解散させればいい。問題はシンプルだと思います。

正当な理由を持ち、合法的に生活できる人、日本社会に馴染もうとする善良なクルド人だけを残します。それだけのことです。外国人に対してもっと寛容であるべきだなどというのはまやかしの議論で、きちんとルール作りをし、粛々と運営すればいいのです。

それができないとき、逆に差別や偏見が生まれ、広がってしまうのです。

自民党の茂木敏充《もてぎとしみつ》幹事長は、日本を多民族国家に改造したいそうです。

しかし、海外に長く暮らした立場から明言しますが、多文化主義も異文化共生も、移民一人ひとりを国がルールに従わせるべく統制力を発揮することが前提となって初めて成立することを理解せねばなりません。

ただ皆で手を繋《つな》いで仲良くしていればよい、お互いを尊重し合えばよい、といった甘い考えでは全く通用しません。そんなことではカオスとなり、治安は乱れ、国力は減退し、ついには滅亡にまでつながることを忘れてはならないのです。

それ故に移民は侵略目的の兵器にさえもなり得ます。

中国は、自国民を兵器とみなして各国に移民として送り込んでいます。中には人民解放軍の兵士さえ含まれているようです。

日本の貴重な水源地や自衛隊基地周辺など、戦略的に重要なエリアの土地のかなり広大な面積が外国人に売却されていることが、安全保障上の大きな問題となってきています。そのほとんどが中国系企業による買収なのですが、その裏で中国は、帰化条件の緩い日本に対して、送り込んだ中国人を日本に帰化させ、そのうえで日本の法人を設立して土地を取得させるということもしています。土地は日本人の経営する日本企業が買ったことになるのですが、そのうえで土地の利用権を中国企業に売るのです。

自国民を戦略的な兵器として使っているわけです。サイレントとは言えないくらいの侵略ですね。

行政の不作為を監視する義務は、住民・主権者にこそある

今回の川口取材では、石井氏のアレンジで川口市に長く住む30代の男性と女性から話を直接お聞きすることができました。この章の冒頭に示した「ケース②」の、「自宅にクルド人の運転する車が飛び込んできた」というのは、この男性の友人が実際に受けたという被害の話をもとに、少し状況などを想像して書いたものです。

女性は、街中を歩いている際に、車に乗ったクルド人からしつこく声を掛けられた体験などを語ってくれました。

二人とも、それぞれ爆音で走る暴走車のために連日眠れないことや、子どものころから長く住んだ川口には愛着があるのだけれど、ここまで身の危険を感じるようになってしまった以上、経済的な事情が許せば他市に引っ越すことも考えたいとのことでした。

不法滞在を続ける外国人に大切な故郷を奪われるというような事態が、この日本で実際に起きかけていることに衝撃を受けました。

また、住民の苦情を聞いて何とかしようと努力している川口市議会議員の中川しゅんいち氏（日本維新の会）にもインタビューすることができました。

中川市議は、「川口市に住んでいて、クルド人から迷惑を被っていない人はいないのではないでしょうか。私自身も、選挙用のポスターを貼っているとき、危うく暴走車に轢《ひ》かれそうになったこともあります」と語っていました。

市議は、出入国在留管理庁に足を運んだのみならず、駐日トルコ大使館に赴いて相談に行ったそうです。しかし、トルコ大使館では、「一部のクルド人のために、長年の日本・トルコ間の友好関係の証であるビザ免除を廃止すべきではない」と言われたとのこと。

トルコ政府側がそのように言うのは当然のことでしょうが、日本側としては毅然と、「日本とトルコの友好関係は重要だが、住民の安全が優先されなくてはならない。90日間のビザ免除が不法滞在者を呼び込む原因になっているのであれば見直さなければならない。トルコ政府にはむしろこの問題の解決に協力してほしい。今後不法滞在者をトルコに帰国させたいので、飛行機を出してほしい」といった流れで交渉すべきではないかと思います。

しかし外交や国政レベルの話となれば、市議会議員の仕事の範囲を越えています。国会議員がしっかりと仕事をしなければなりません。ところが、市長や県知事の動きが遅かったばかりか、地元選出の国会議員で、岸田第二次改造政権の経済再生大臣に就任した自民党の新藤義孝《しんどうよしたか》議員は長く沈黙したままでした。
新藤議員といえば、第二次大戦中の激戦地である硫黄島《いおう》の防衛を指揮した栗林忠道《くりばやしただみち》陸軍中将（戦死後大将に親任）を母方の祖父として持つことを誇りとし、2023年にはLGBT理解増進法案可決のため、強引なまでの旗振り役を務めたことが記憶に新しいところですが、日本クルド友好議員連盟の副会長でもあるようですから、この問題に率先して対処してほしいところです。奥ノ木《おくのき》川口市長は、2020年12月23日に新藤義孝議員を伴って当時の上川陽子《かみかわようこ》法相を法務省に訪ね、同市で暮らす多数のクルド人が国の入国管理制度によって、収監施設から「仮放免」という立場に置かれ、就労が認められず困窮しているとして、仮放免者の就労を可能にする制度の創設を求める要望書を提出していました。（産経新聞2020年12月23日）
収容施設から仮放免されているということは、それらのクルド人は不法滞在者だということです。やるべきことは迅速な送還であり、仕事を与えることではありません。
奥ノ木市長は中国を30回以上訪問しており、2020年7月には人民日報のインタビューに応じ、「日本で最も安心して暮らせる多文化共生のまちづくりを推進する」と話しています。このような甘い認識が今日の混乱を招いたと言わざるを得ません。川口市民は慎重に市長を選ばないと住めなくなってしまいます。

川口市には、解体業のために必要な「ヤード」と呼ばれる産業廃棄物置き場のようなスペースが集中するエリアがあります。行ってみると、3メートルほどの高い鉄板で目隠しがされ、内部は見えないようになっていました。

ヤードには、トラックに廃材などを満載（というより、荷台部分より上が大きな逆台形型に積まれている）した通称「クルド・カー」が出入りしています。見た目からすると過積載に見えますし、ネット上には外環自動車道を走るクルド・カー（ドライブレコーダーで撮影されたもの）が一般ドライバーからよくアップされています。「こんな危険な車が走っている」というメッセージ付きであることは言うまでもありません。

これらのヤードを一手に管理して貸し出している有名なクルド人がいるのですが、石井氏によれば、彼は何度も難民申請を繰り返す傍《かたわ》らで事業を拡大し、高級なスーツを着て、フェラーリなどの高級外車を乗り回しているのだそうです。

先般ようやく出入国管理法が改正されたわけですが、適切な規制を受けず、無制限に何度でも難民申請ができるなど、実に馬鹿げたザルのようなシステムを放置していれば、当然ながらそれを利用する者も現れるわけです。
行政の不作為は、必ず住民・国民に跳ね返ってきます。

石井氏には、クルド・アパートと呼ばれる、クルド人ばかりが多く住むアパートにも案内してもらいました。壁は崩れかけ、裏庭にはゴミが散乱し、塀沿いにはウォッカの空き瓶が大量に捨てられていました。アパートに以前から住んでいた日本人は逃げるように転出し、そこにまたクルド人が転入する結果、クルド・アパートになってしまうそうで、同様のケースが市内にはいくつか存在するようです。そうしたアパートに住んでいる老夫婦は、住み続けることが困難になり、転居を考えたいけれど、高齢で別の土地に行くのが難儀で悩んでいるなどという話も聞きました。

ただ、取材の直前に川口市議会が超党派で「一部外国人による犯罪取り締まり強化を求める意見書」を可決し、市に申し入れを行った影響でしょうか、アパートの近くを警察のパトカーが巡回していました。

石井氏は、「こうしたパトロールは初めて見る」と、行政に対して議会が起こしたアクションの効果を感じている様子でした。

近くの公園の一角は、ゴミの集積所になっていました。クルド人たちは、ゴミ回収日を無視していつでも勝手に乱雑にゴミを投げ捨ててしまうため、周囲は散乱して酷いことになっていました。ちょうどその時、散乱したごみを集め、きちんと整理している二人の男性がいたので声をかけてみると、お一人は高齢で、もうお一人は若い方でしたが、近所に住む日本人がボランティアで自主的に片づけているということでした。

「いくら言っても、あの人たちは聞かないからね」と、困り顔でした。


2023年8月4日、斉藤健《さいとうけん》法相（当時）は、日本で生まれ育ちながら強制退去処分となり、在留資格がない外国籍の子どもらに対し、人道的な理由から日本にとどまることができる「在留特別許可」を与える方針を正式に発表しました。日本に住み続けることを希望している小学生から高校生までの子どもで、親に不法入国や薬物の使用といった国内での重大な犯罪歴がないなど一定の条件を満たせば、親子に「在留特別許可」を与え、滞在を認めるということです。

待ってください。そんなことをしたら、ビザ免除で合法的に入国して、子どもを日本で産もうとする外国人が続出することは目に見えています。「日本で子どもを生めば日本に

いわゆる「クルド・アパート」の敷地内は荒れ果てている。壊れた自転車、壁面と見られる木材の一部、空き瓶、捨てられた段ボール……。これでは、日本人は怖くて出て行ってしまうだろう。

永住できる」と考えるのは当たり前でしょう。「強制退去処分」を受けるというのはそれなりの事情があるはずです。子どものことを心配するなら、一日も早く帰国させるべきです。このような温情主義は、双方のためになりません。必ず川口市のように住民の被害や負担となって返ってくるでしょう。

石井氏は、「クルド人問題の取材を始めた当初は、『なるべく双方が歩み寄って共生していければ』と考えていたけれど、取材を進めれば進めるほど『日本のルールを守る気がないなら、共生などとうてい無理だ、早く出て行ってくれ』と思うようになった」と語っていました。

移民が国家にもたらす経済効果については、総合的にはマイナスだという結論がヨーロッパでの研究によって出ています。『移民の政治経済学』（ジョージ・ボージャス著・岩本正明訳：白水社）などを読んでも、それは明白です。それなのに、なぜ日本は「周回遅れ」で「最初から失敗が決まっている」政策をスタートしようとするのか理解に苦しみます。

「シン・鎖国論」の観点から言って、移民導入政策への安易な移行はＮＯ！です。

私は、移民に対しては国の門を閉ざすことを原則とし、戦略的取捨選択としては、まずもって出入国在留管理を厳格に運用することが大前提であると提言します。

２０２３年9月25日、驚くべきニュースが飛び込んできました。なんと、冒頭のケース①で紹介した事件、7月４日夜に発生したクルド人たちによる乱闘事件において、殺人未遂の疑いで逮捕された45歳の男性を含む7人全員が不起訴になったというのです。さいたま地検はその理由を明らかにしていません。信じがたいことです。

さいたま地検の林秀行《はやしひでゆき》検事正は何を考えているのでしょうか？　よほどの圧力があったのでしょうか？　外国人犯罪者の不起訴は本件だけではないようですが、日本の司法は機能しなくなってしまったのでしょうか?

9月26日付の夕刊フジは、川口市の外国人問題に取り組んできた自民党の奥富精一《おくとみせいいち》市議の、「全員が不起訴処分では、日本人の安全は担保されない。刃物を持って人を襲うような人たちが野に放たれることは、川口市民には恐怖でしかない。それは、もはや『共生』というレベルの話ではない」「トルコ語やクルド語などの言葉の壁が事情聴取の妨げとなっている可能性もあるのではないか」というコメントを紹介しています。

2023年9月30日に、石井氏に関してさらに驚くべきニュースが舞い込みました。

9月26日の午後、トルコ国籍の30代クルド人男性が埼玉県川口署を訪れ、「石井孝明がクルド人の悪口を言っている。警察は発言を止めさせろ、さもなければ石井を殺す。2週間後に死体を持ってくる」などと興奮状態でまくし立てました。

この男は難民認定申請中で、国外退去処分後に、入管施設への収容を一時的に解かれ、「仮放免」中でした。川口署は同日、この男を現行犯で逮捕しましたが、なんと2日後には**処分保留で釈放**してしまったのです。石井氏が被害届を出していたにもかかわらずです。**警察はその理由を説明しなかったばかりか、石井氏に対して、本件について公にしな**

いことを勧め、さらに、引っ越しの検討まで促したというのですから驚きです。

なんと、日本の警察は外国人の犯罪を許容し、被害者である日本人に自己犠牲を求める組織になったようです。これでは、とても移民社会の治安を守ることなどできません。警察がこんな有様で移民政策を推進するのは、極めて危険です。

ちなみに、主流メディアでこの件を報じたのは産経新聞だけでした。

これでは川口市民はさっさと引っ越したくなるでしょう。

日本の状況が、バイデン政権下のアメリカに似てきていることに気付くでしょうか？

まるで命令されているかのように、日本でも不法滞在者や不法移民が増加し、犯罪行為がきちんと取り締まられることなく、野放しにされています。日本に主権がないことの証左の一例に思えてしまいます。

それができなければ、日本はあっという間に変質し、溶解してしまうでしょう。

2章

「シン・鎖国」によって防ぐべき敵とは？

グローバリズムと共産主義の脅威から日本を守る

1 秀吉〜家光が完成させた「鎖国」の意義

教科書から消されていた「鎖国」の用語

「鎖国」と聞くと、「開国」との対になっているイメージからか、なんとなくネガティブな印象を持つ方が多いのではないでしょうか？

「国を鎖《さ》す」というと、どうしても閉鎖的な引き籠《こも》り政策とか、排外主義でキリスト教徒を弾圧したとか、鎖国していたから近代化に遅れて世界から取り残されたというような「負の側面」ばかり強調される形で教えられてきたかと思います。

そもそも、２０２１年に実施される中学校の新学習指導要領で復活するまでの数年間、中学教科書では鎖国という言葉が使われていなかったことをご存じでしょうか？

たしかに「鎖国」という言葉は、江戸末期の蘭学者志筑忠雄《しづきただお》がオランダ商館医だったケンペルの『日本誌』を翻訳した時（1801年）に造語したのが始まりなので、徳川家光が「鎖国令」を発したと教えるのは正しくないということから、2017年の学習指導要領改定案で「鎖国」ではなく「幕府の対外政策」という用語に変えられていたそうです。

また鎖国といっても、外交との貿易は、長崎を基軸としながら、松前、対馬、薩摩の各藩に対外関係の「口」を担わせる形で幕府による統制のもとに行われていたのだから、鎖国と呼ぶのはふさわしくないというのが1980年ごろからの歴史学の流れだったようですが、教育現場から、「開国」を教えるのに「鎖国」という前段がないと指導しにくいという声が上がり、復活したそうです。

私は歴史学者ではありませんので、こうした流れについて評価をする立場ではないわけですが、本書では、むしろみなさんのイメージの中にある「鎖国」に近い形でこの言葉を使い、今、なぜ「シン・鎖国」が必要だと考えるのかをお伝えしたいと思います。

私は、今日の日本は、16世紀末から17世紀初頭と同様の〝脅威〟にさらされていると感じています。国がなくなるかどうかという脅威です。

戦後、延々と続けて来た対米従属を基本とする「属国平和主義」が完全に限界を迎え、大げさでなく国の存続を危うくするほどの危機が迫っていると考えます。

しかしながら、そのことを感じている日本人はとても少ないのではないでしょうか？

2023年の現代と、16世紀末から17世紀初頭の日本が迎えていた状況のどこに共通点があるのかを考えるため、秀吉から家光にかけての、後に「鎖国」と呼ばれる対外政策を取らざるを得なかった大航海時代のことを簡単に振り返ってみましょう。

そもそも、なぜ江戸幕府は鎖国することができたのか？

なぜ、当時の日本は鎖国を実施できたのでしょう？　大航海時代に日本が対峙していたのは、アフリカ、中南米、そして東南アジアを次々に侵略し、蹂躙《じゅうりん》し、植民地に変えていったスペインとポルトガル。そしてオランダやイギリスも、アジアに東インド会社を作って支配を進める強力な軍事覇権国家でした。そんな相手に侵略を許さず、国を防げた理由は何だったか？　キリスト教の布教を禁じ、スペインやポルトガルを追い出し、オランダには通商を許しつつも長崎の出島に封じ込めることが、どうして可能だったのでしょう？

それは、まず第一に当時の日本は欧州各国が軍事制圧を諦めざるを得ないほどの、統制された軍事強国であったからだと言えます。

当時世界を二分していたカトリック国であるスペインとポルトガルは、世界中に植民地を拡げましたが、そのやり方は悪逆非道の極みと言えるものでした。彼らが異教徒をどう扱うべきかバチカンに問い合わせたところ、「異教徒は人間と見なさずともよい」とのお墨付きを得ていたことがその背景にあります。1452年にローマ教皇ニコラウス5世がポルトガル人に対して「異教徒を奴隷にする許可」を与えたことで奴隷貿易は正当化され、相手は人間でないと思えたからこそ倫理的な罪悪感を全く持つことなく、徹底的に残酷になれたのです。

最初にアフリカで奴隷貿易を始めたのはポルトガル人でした。ポルトガルは、13世紀ごろには人口も少ない小国でしたが、モロッコからアフリカ西岸を回って次々と侵略を始めます。部族抗争を繰り返すアフリカの一方の部族にだけ武器を与え、敗れた部族を奴隷としてたたき売るという行為を繰り返しました。コンゴのように王が自らキリスト教徒となり、侵略者に協力した国もありましたが、最後は亡ぼされました。ポルトガルはアフリカ南端を回り、14世紀にはインド、東南アジアを経て、1543年には種子島《たねがしま》にまず鉄砲が、その6年後にザビエルが鹿児島に上陸するに至ります。

ポルトガルに後れを取って焦っていたスペインに取り入ったのが、イタリア人のコロンブスでした。スペイン女王イサベル1世の支援を得たコロンブスのほうはポルトガルとは反対に大西洋を渡り、1492年に西インド諸島のサンサルバドル島に上陸します。

水や食料を提供してくれた原住民の純朴さと均整の取れた身体を見て、コロンブスは「これは素晴らしい奴隷になる」と考えました。そして翌年、軍隊と軍用犬を満載して再びこの島を訪れると、原住民の村々を徹底的に破壊し、略奪、殺人、放火、拷問、強姦の限りを尽くしたのです。

近年、過激な左翼リベラリズムの影響でキャンセルカルチャーの嵐が吹き荒れているアメリカでは、コロンブスの銅像が引き倒され、破壊されています。行き過ぎたキャンセルカルチャーは全く肯定できませんが、その背景に恥ずべき歴史への嫌悪があるのは事実でしょう。

支配の形態として特筆すべきなのは、ただ武力で蹂躙して支配するだけではなかったことです。コロンブスに同行した宣教師たちは、原住民が独立を目指して反乱を起こさないようにキリスト教の布教に努めました。精神的服従を常態化するための布教でした。

私は仕事でフィジーに行った際、原住民が熱心に讃美歌を歌う姿を見て、植民地支配の名残を見たようで少し複雑な気持ちになりました。フィジーを支配したのはイギリスでしたが、カトリックもプロテスタントも、ともに植民地獲得にしのぎを削っていたのでした。

強大な軍事力が、間違いなく抑止力として機能した

中南米には古代から高度な文明が栄えていましたが、スペイン人によって無惨にも滅ぼされてしまいました。

1521年、メキシコ中央部に栄えていたアステカ王国はスペイン人コルテスによって滅ぼされ、現在のペルー、ボリビア、エクアドルにまたがって栄華を誇っていたインカ帝国は1533年にピサロによって滅亡させられたのです。

スペイン人はこれらの国々から莫大な金銀財宝を略奪し、本国に運び込みました。

さらに、原住民を銀鉱脈の採掘に駆り出して強制労働を課し、大量の銀をヨーロッパに持ち帰りました。酷使、虐待された原住民の人口が激減すると、今度はアフリカ人が代替労働力として用いられることになり、奴隷貿易はさらに拡大したのです。

世界中でこうした悪逆な支配を拡大していたポルトガル人やスペイン人であるのに、なぜ日本では同様の支配ができなかったのか？

布教活動によって一部の大名をキリシタン大名とし、権益を得ることまではできたものの、どうして最終的に排除されてしまったのでしょうか？

それは、日本の軍事力が優れていたからです。

火砲に関して言うと、１５４３年に中国商船に乗って種子島に漂着したポルトガル商人から買った２丁の火縄銃は、すぐに刀鍛冶《かじ》の手で複製され、改良されつつ堺《さかい》や近江《おうみ》などで瞬く間に大量生産されるようになりました。戦国大名に注目され、堺商人などによって全国に広められた鉄砲は、戦場をそれまでの一騎討ちスタイルから、足軽鉄砲隊による集団戦法へと変えました。

日本には鉄も少なく、火薬の原料となる硝石は輸入に頼るしかなかったのですが、安土《あづち》桃山《ももやま》時代から江戸初期にかけての日本の鉄砲所有数が世界有数だったことは確かであるとされています。

16世紀ごろ、日本を含めた東南アジアでは、すでに豊かな海外貿易が展開されていて、なかでも当時、世界中の銀の３分の１を算出していた石見《いわみ》銀山は、世界に大きなインパクトを与えていたのだといいます。

ヨーロッパの強国たちは、東南アジアと日本を手に入れようと狙いを定めていたのです。

当時、フィリピンはすでにスペインに占領されていました。

そもそも「フィリピン」という国名は、当時のスペイン国王・フェリペ2世の名に由来するわけですが、そのフィリピンにいたスペイン人総督のドン・ロドリゴは、著書『日本見聞録』の中で、「日本人はメキシコの原住民のように野蛮ではなく、勇敢で、弓矢、槍、刀を有し、銃を巧妙に使ううえ、議論と理解の能力においてスペイン人に劣らない。日本を武力で制圧することは困難なので、キリスト教を布教し、日本人が自ら進んでスペイン国王に仕えるように誘導するのが最善である。キリシタンを増やしていけば、家康、秀忠の支配が続くうちは無理でも、その後の代になればスペイン国王に従うようになるに違いない」という趣旨の長期戦略を記していたといいます。

布教による洗脳を利用した統治を意図していたわけですね。

その目論見は江戸幕府の鎖国政策によって失敗したわけですが、その前提条件は第一に日本が軍事的にたいへん強固であり、第二に外交・交渉力においても、また情報力でも当時の覇権国に一歩もひけを取らない国力・知力を備えていたからだと言えます。

もし、日本が軍事的に弱かったなら、アステカ王国やインカ帝国のようにいとも簡単に支配を許し、滅ぼされるか、それ以外の「非白人」と同様に植民地化されていたことは間違いありません。今の中南米諸国のようになっていたはずです。

強い軍事力が、武力制圧を企図させない抑止力として間違いなく働いていました。

このことを、まず銘記しておく必要があります。

国際社会では、弱者は徹底的にやられるのです。日本の戦後教育はこの極めて重要なポイントを完全に見落とすか、意図的に触れないようにしています。

キリシタン大名は、「旧教国による文化支配」のためのコマだった

しかし、いつの世にも売国奴はいるもので、九州のキリシタン大名がそれです。

たとえば長崎港を開港した肥前《ひぜん》国の大村純忠《おおむらすみただ》は、ポルトガル人から鉄砲や火薬など最新兵器の供与を受ける見返りとしてイエズス会の神父から洗礼を受け、日本で最初のキリシタン大名となったのですが、武器弾薬を求めた動機は、お家騒動に勝利するためでした。

その信仰は過激で、領民たちに改宗を強要し、改宗を拒否する仏教の僧侶や神官は殺害しました。さらに神社・仏閣も破壊すると、その廃材をポルトガル船の建材用に提供したのです。先祖の墓も壊し、さらに改宗に従わない領民を奴隷として海外に売り飛ばしました。武器購入の代価にされたのです。さらに長崎の地をポルトガルに差し出しました。

豊後《ぶんご》国の大友宗麟《おおともそうりん》は、宿敵毛利元就《もうりもとなり》を撃退するために、火薬の原料である硝石の供給をイエズス会から受け、鉄砲戦によって毛利を破ると洗礼を受けてキリスト教徒となり、今度は十字架を掲げて日向《ひゅうが》国に大軍を率いて攻め入りました。大友宗麟の野望は日向国の全領民をキリスト教徒に改宗させ、ポルトガルの法律と制度を導入してキリスト教の理想郷を建設することで、宣教師たちの言いなりになって現地の神社仏閣を焼き尽くしました。

島原半島南部を支配していた小領主の有馬晴信《ありまはるのぶ》（大村純忠の甥）は、龍造寺隆信《りゅうぞうじたかのぶ》に圧迫されると、イエズス会からの支援を得るために洗礼を受け、キリスト教徒となりました。軍事力を強化して和睦に成功すると、宣教師の求めるままに、家臣・領民の入信に加えて40カ所以上の神社仏閣を破壊したばかりか、領内の未婚の少年少女を捉えて奴隷として献上し、さらに、浦上《うらかみ》の地まで差し出してしまいました。

これらキリシタン大名によって世界中に奴隷として売り飛ばされた日本人は5万人ほどになると言われています。それを目撃したのが、大村純忠がキリシタン大名の名代《みょうだい》としてローマに派遣した天正遣欧《てんしょうけんおう》使節の少年たちでした。

彼らは航海の途中、海外のさまざまな土地で、子どもまで含めた日本人男女が奴隷として使役されているのを見て、大きな衝撃を受けます。しかし、彼らの旅費を負担していたのは、まさに領民を奴隷として売り飛ばしていたキリシタン大名だったのです。

キリシタン大名の手を介さない奴隷売買も多く、日本人奴隷の総数を50万人とする説もありますが、さすがに少し多いようにも思います。ちなみに、日本にいたポルトガル宣教師が奴隷売買の酷さを見かねて当時のポルトガル王、ドン・セバスチャンに進言した結果、1571年に「日本人奴隷の買い付け禁止令」も出されたのですが、奴隷売買はなくなりません。とても儲かるからです。ポルトガルの奴隷商人によって買われ、ブラジル、アルゼンチン、ペルーなどに売られた日本人奴隷の記録は多くの公文書に残されています。

日本人が奴隷として売られていることに秀吉が激怒
――バテレン追放令の理由

当時、豊臣秀吉は優れた情報網をすでに持っていましたが、キリシタン大名たちが領民を奴隷として売っているという事実を知り、激怒します。

1587年、覚書11カ条にキリスト教への対応をまとめ、それに基づくバテレン追放令を出します。しかしその内容は意外なほど寛容なものでした。

キリスト教を全面的に禁ずるのではなく、大名の入信を許可制とし、僧侶や領民に入信を強いることは禁じましたが、一般庶民が自発的に入信することは自由とし、日本古来の仏教八宗にキリスト教が加わって九宗になっても構わないとするものでした。

ただし、日本人の奴隷売買に関しては強く禁止を求めました。従って、この時点ではキリシタン弾圧と呼ぶべきものではなく、実際、宣教師による布教は止まりませんでした。

しかし、この寛容政策を一転させたのが、スペイン系カトリックのフランシスコ会による舌禍事件でした。1596年、マニラを出帆し、メキシコに向かっていたスペインの武装遠洋船サン・フェリペ号が東シナ海で嵐に遭遇し、土佐《とさ》沖に漂着して座礁します。

日本側は当時の決まりに基づいて乗員を救助し、積荷は没収したのですが、これを不服とするスペイン側は、日本人を威嚇しようと思って、つい本音をばらしてしまったのです。

現地に到着した秀吉五奉行のひとりである増田長盛《ましたながもり》に対して、サン・フェリペ号の航海長デ・オランディアが世界地図を見せ、「スペインは広大な領土を持っている。スペインを侮《あなど》ると小国日本は痛い目に遭うぞ」と恫喝《どうかつ》します。

そして、「なぜスペインはそのように広大な領土を持つことができたのか？」と増田長盛に質問されると、「スペイン国王は世界中に宣教師を派遣し、その土地の住民を改宗させた後、反乱を起こさせ、合わせて軍隊を送って征服するのだ」と、愚かにも堂々と答えたのです。

この報告を受けた秀吉は激怒して、スペイン系カトリックのフランシスコ会の弾圧を命じます。

京都や大阪で布教活動をしていたフランシスコ会の宣教師6人と、支援していた日本人信者20人を捕縛するや、1596年に長崎で処刑しました。

しかし、秀吉はサン・フェリペ号を修繕し、乗組員たちがマニラに戻ることを許可しましたし、スペインが報復の攻撃を仕掛けてくることもありませんでした。強固な軍事力を持っていたからこそできたことであり、それ故に侵略を免れたのです。

家康の対外政策を「貿易重視」から「安全保障優先」に変えさせた情報

秀吉の死後、五大老による合議制が敷かれていた時期、筆頭大老だった家康が持っていた外交観は、秀吉と同じように、貿易と布教は分離できるというものだったようです。

ポルトガルとの貿易によって大きな利益を得ている長崎や九州を見て、貿易を優先すべきと考えていた家康は、当初キリスト教に対して寛大な姿勢で臨んでいたのですが、やがて「スペイン、ポルトガルはキリスト教布教と同時に日本を武力により支配しようとしている」との情報を得て、外交方針を変えていきます。

情報をもたらしたのは、関ヶ原の戦いの直前に豊後国《ぶんご》に漂着したオランダ船・リーフデ号に航海長として乗り込んでいたイギリス人のウィリアム・アダムズと航海士だったオランダ人のヤン・ヨーステンでした。

アダムズは航海士であるとともに、船大工だった経験を生かして家康のための大型船建造にも貢献します。家康は後にアダムズを外交顧問として取り立て、三浦按針《みうらあんじん》の名と領地を与えて召し抱えました。最初の青い目のサムライとも言われる按針は日本人の妻を娶《めと》り、領地のあった神奈川県横須賀市には、京浜急行線の「安針塚」という駅もあります。もう一人のヤン・ヨーステンの名は、東京駅の「八重洲《やえす》」に残されています。ヨーステンが屋敷を与えられた一帯を「やえす」と呼んでいた名残なのですが、現在では東京駅の駅舎が移動したため、本来「八重洲」だった位置は、現在丸《まる》の内《うち》の地名になっています。

さて、家康はアダムズやヨーステンからどのような情報を得たのでしょう？

イギリスとオランダは新教＝プロテスタント国であり、旧教＝カトリック国のスペイン、ポルトガルとは激しく対立していたため、日本にプロテスタントを乗せた船が漂着したと聞いたイエズス会の宣教師やポルトガル商人たちは、「イギリスやオランダは海賊だから、死刑に処すべきだ」と強く主張したそうです。

家康は、アダムズとヨーステンを大坂に呼び寄せ、彼らに直接尋問しました。

アダムズは、「イギリス・オランダ」と「スペイン・ポルトガル」側は宗教戦争を行っていること、１５８８年には無敵艦隊と呼ばれていたスペイン艦隊をイギリス艦隊が「アルマダの海戦」で破り、自分もその海戦に艦長として参戦していたことなど、両者の対立の背景や、リーフデ号の航海の経緯についても包み隠さずに語り、「イギリス・オランダは、スペイン・ポルトガル以外の国々とは親交を結び通商している」と伝えました。アダムズの率直さを認めた家康は、「布教と貿易は切り離し、通商以上のことは求めない。宗教は個人の魂の救済のためにある」と、プロテスタントとしての立場を貫く彼に信を置き、しだいに外交観を変えていきます。

スペインは、信者を増やして日本を支配した後は、日本を拠点として明《みん》に攻め入り、いずれは明も征服しようという長期計画を持っていました。

布教に固執するスペインに業を煮やした家康は、1612年には天領（幕府直轄地）に、翌1613年には全国に「禁教令（キリスト教禁止令）」を将軍秀忠の名で交付させます。

「キリスト教は侵略的植民政策の手先であり、人倫の常道を損ない、日本の法秩序を守らない」と厳しく糾弾する内容でした。ここに鎖国体制が始まり、キリスト教禁止令はその後、実に1873年（明治6年）まで続きます。

禁教令が発布された結果、伏見や大坂にいた宣教師はマカオやマニラに追放されたのですが、一般信徒は棄教する限りはお咎《とが》めなしで許されました。

そして布教をせず、貿易に専念するイギリス、オランダとは熱心に交易を進めました。

家光が鎖国体制を完成させるまで

家康に排除されたキリシタン大名とスペインの宣教師らは、家康の敵である豊臣秀頼《ひでより》に取入って起死回生の望みを懸けるため、大坂城入りした宣教師も多数いたそうです。

しかし、大阪冬の陣、夏の陣を経て豊臣家が滅亡すると、その望みも潰えました。

家康が没した後、独り立ちした第二代将軍秀忠は、貿易を重視していた家康とは一線を画し、キリスト教布教による弊害を重視して、まずスペインの追放を決定しました。

さらにヨーロッパ船の来航を、長崎と平戸《ひらど》の両港に限定する措置を採りました。

それでも商人を装って密入国する宣教師やそれを支援した日本人もいたのですが厳しく断罪し、処刑しました。しかしなお、ポルトガルはしぶとく日本に残り続けました。

第三代将軍家光は、さらにキリスト教に対する統制を強めます。日本近海でも繰り広げられている「オランダ・イギリス」と「スペイン・ポルトガル」の海上戦、すなわちプロテスタントとカトリックの覇権争いに巻き込まれることを恐れたからでした。

また朱印船がスペイン艦隊に拿捕《だほ》され、焼沈によって乗組員が全員殺害されたり、密入国するカトリック宣教師が後を絶たないことも理由のひとつでした。
統制強化は、次のような数段階のプロセスで強化されました。

・朱印船貿易の中止と、海外に5年以上居留した日本人の帰国禁止
・長崎に出島を建設
・全ての日本人の海外渡航と帰国を禁止
・清国を含む外国船の入港は長崎のみに限定
・九州各地に住んでいた清国人を長崎に集住させる
・キリスト教布教に携わるポルトガル人とその妻子287人をマカオへ追放
・貿易に携わるポルトガル人を長崎の出島に隔離

家光は祖父の家康を心から敬愛していましたが、ややもすれば経済優先主義だった家康の政策を改めて、安全保障最優先政策に切り替えたと言えます。

フィリピン総督だったスペイン人のドン・ロドリゴが「家康、秀忠まではダメでも、次の代であれば……」との目論見に反して、家光はたいへん英明で胆力のある指導者だった

ようです。

秀吉、家康、秀忠、家光が、何を「最も防がなければならない最大の敵」と考えていたのかを知ることが、「鎖国」の意味を知ることであり、我々が今こそ「シン・鎖国」を検討すべき意味だと私は考えています。

「島原《しまばら》の乱」は、農民一揆ではなく宗教クーデターだった

しかし家光が鎖国体制を整えようとする最中に島原の乱が勃発します。

島原は、もともとキリシタン大名の有馬晴信が治めた地で、キリシタンは庇護されていました。その有馬晴信が死罪になった後、この地は一時天領となりますが、後に大坂夏の陣で軍功を上げた外様《とざま》大名の松倉重政《まつくらしげまさ》に与えられます。

松倉重政は、外様としてのハンデを乗り越えようと幕府に望まれる以上の忠勤に励むあまり、領民を重税で苦しめました。その一方でキリスト教には寛大だったので、イエズス会の宣教師は領内で公然と布教活動をしていました。

ところが一度幕府から「キリスト教に甘い」と苦言を呈された重政は、改易《かいえき》を恐れるあ

まり、今度は掌《てのひら》を返してキリスト教をひどく弾圧し始めます。島原領内のみならず、長崎で摘発されたキリシタンを拷問にかけて棄教させる矯正まで引き受けたといいます。

松倉重政の死後、嫡男の松倉勝家《かついえ》が島原藩を継ぐのですが、キリシタンの家臣たちは誰も勝家に従わず、天草の教徒らと謀議を重ね、1637年末に、16歳の美少年・天草四郎《あまくさしろう》を担いで島原・天草の乱を起こします。

しかし、島原の乱は生活に困窮した農民一揆とは全く性質の異なるものでした。

キリスト教を棄教した証文である「転《ころ》び証文」を取り返すために、集団で代官所を襲って代官を殺害し、併せて島原藩の御用蔵に押し入り、米や大量の武器弾薬を奪いました。

それにとどまらず、村々の神社仏閣を焼き払い、僧侶や神官を殺害したうえ、城下町を焼き払います。

4万人弱にまで膨れ上がった一揆勢は、廃城となっていた原城《はら》に入り、奪った食料や武器弾薬を運び込んで籠城《ろうじょう》の態勢を整えました。

これはもう百姓一揆の域を超えた本格的な内乱・クーデターであって、指揮していたのはキリシタン大名だった小西行長《こにしゆきなが》や有馬晴信の元家臣で、キリシタンの国人衆《くにびとしゅう》や地侍《じざむらい》でした。つまり、戦争のプロが組織した宗教クーデターだったのです。

天草四郎は赤く染めた髪に白い着物をまとい、額に銀の十字架を刺していたといわれ、一揆勢のカリスマ的象徴であり、キリシタンの象徴でした。

当初、一揆勢を甘く見ていた幕府側は、「応戦のみに留め、女、子どもは殺さないように」という方針で原城に近づきますが、大苦戦を強いられます。総大将の板倉重昌《いたくらしげまさ》はついに顔面を鉄砲で打ち抜かれて即死し、4000人もの戦死者を出してしまいます。

次に総大将として派遣されたのは、「知恵伊豆」の異名を持つ家光の寵臣だった松平信《まつだいらのぶ》綱《つな》でした。

信綱は原城を包囲し、兵糧《ひょうろう》攻めを開始します。さらに、原城に矢文を送り、「不満が正当であるなら和談し、年貢を免除、軽減する用意がある」と懐柔を試みますが、一揆勢からは「我々の宗教を認めよ」という返事のみが返ってきます。島原の乱は、従来のように実利を求めた百姓一揆ではなく、軍事専門家が指導する日本初の宗教的殉教戦争だったという証拠です。

それでも信綱は、「無理やり城内に連れ込まれた非キリシタンや、城を出て改宗する者は赦免する。まだ子どもの天草四郎も、降伏するなら助命する」と寛容に投降を呼びかけますが、一揆勢からは逆に「近々ポルトガルの軍船が応援に来る。幕府が和睦を望むなら、松倉勝家の首を刎《は》ねて持ってこい」と極めて強硬な回答が戻ってきました。

日本全国で60万人あまりのキリスト教徒が蜂起すれば、それに呼応してポルトガル軍が攻め込んで来る。まさに一揆勢は、それを本気で期待していたのです。

そこで信綱は一計を案じます。ポルトガルの援軍が来ないことを一揆勢に知らしめるため、長崎奉行を通じてオランダに依頼をし、ポルトガルと対立するオランダの軍船から原城に艦砲射撃と、地上からも砲撃をしてもらったのです。

援軍の期待を失った反乱の士気は一気に低下し、兵糧攻めで食料が尽き始めた原城からは、夜陰に紛れてまず「非信者たち」が逃げ出し始めます。

そして1638年2月28日、幕府軍の総攻撃によって原城は陥落し、籠城していた3万人強の一揆勢は、老若男女を問わずに皆殺しになりました。打ち取られた天草四郎の首は、無惨にも長崎出島のポルトガル商館前に晒《さら》されることになります。

島原の乱を決定的要因として、以後、家光はポルトガル船の来航を禁止し、ポルトガル人を国外へと追放します。その結果、ヨーロッパ勢としては交易に専念したオランダのみが出島に移って日本との関係を継続することを許されました。

日本は、こうして家光が完成した鎖国体制の下《もと》、ヨーロッパでの絶え間ない戦乱や革命を尻目に、戦争のない平和な時代を220年あまりに渡って送り、国内産業発展の土台を築き、豊かな江戸文化が花開きました。

このように、日本が取った鎖国という安全保障政策を今日の苛烈な国際情勢に照らして見直した場合、何を学び取ることができるのでしょうか？

2 現代日本が侵略を許してはいけない敵、それは徳川時代と共通

秀吉~家光は、「敵はグローバリズム」と看破《かんぱ》していた

まず私が指摘しておきたいのは、鎖国とは日本を植民地化させないための歴史的偉業だったということです。

当時は、大航海時代というグローバリズム・帝国主義の時代でした。軍事的に劣る文明は次々と破壊され、略奪され、植民地化され、住民は奴隷化されました。アフリカ、中南米、明やインド、東南アジア諸国……。

その苛烈な弱肉強食の時代にあって、東洋の小さな島国でありながら、高度な軍事力を以て欧州列強の軍事侵攻を許さなかったことは、実に驚くべきことです。

当時の日本人には、獰猛《どうもう》な外国の恫喝《どうかつ》に屈しないだけの強さと胆力がありました。

戦後の洗脳による「平和主義」の悪影響でしょうか、鎖国を評価する際、強力な軍事力こそが列強に対する抑止力として機能したという観点が現在の日本人の頭から完全に抜け落ちてしまうのは由々しきことです。

スペイン・ポルトガルによる侵略は、軍事力というハード面のみならず、キリスト教布教というソフト面でも行われていました。

支配の基本は、古来「分断統治」にあるわけですから、敵地にスパイを送り込んで機微な情報を盗むだけでなく、敵陣営内に反乱分子を作ることは、いわば侵略の基本です。

宣教師は実際に、ターゲット国を内側から攻略するための強力なスパイ・工作員でもあり、布教活動を通して「現支配者への不満」を醸成したり、うまくいけばトップを篭絡《ろうらく》して「キリシタン大名」を誕生させることさえできたわけです。

しかし、秀吉も家康も外来の宗教に対しては寛大な政策を取りました。キリスト教の危険性に気づいた後も、大名の入信は禁じたけれど一般庶民の信仰は構わないとしました。

交易による利益を重視していたからという一面はあるでしょうが、一般に考えられているような一方的で苛烈な宗教弾圧ではなく、「仏教八宗が九宗になってもかまわない」というように、実際はかなり寛容だったことに驚かされます。

宗教と商業・貿易は切り離せると信じていました。

もし、スペインやポルトガルが日本侵略の意図を持っていなかったなら、キリスト教が弾圧されることもなかったのでしょう。キリスト教禁教の目的は安全保障のためであって、異教徒だから弾圧したというのではありませんでした。

内面的な信仰の自由は侵さないというところに、多神教を文化的背景とする日本の宗教的寛容性が現れています。

旧教を背景とするスペイン・ポルトガル勢を「グローバリズム」であると見抜き、商業優先主義だった家康の方針を変更し、安全保障重視へと舵を切った秀忠と家光は、極めて賢明だったと言えるでしょう。

島原の乱は通常の百姓一揆ではありませんでした。キリシタンによる全国蜂起に呼応してポルトガル軍が来援すると信じる国人衆によって組織された、本格的な軍事クーデターでした。学校で習う話とは全く違います。

最近、小・中学生用に漫画で描かれた歴史の教材を読む機会があったのですが、島原の乱は「厳しい年貢の取り立てで苦しんだ領民たちが、キリスト教を心の支えに立ち上がったものの、無慈悲な幕府軍に鎮圧された悲劇」という描き方がされていました。

島原の乱はそんなに単純なものではありません。幕府側の再三の妥協案提示による投降要請にも応じなかった以上、絶対に鎮圧せざるを得ない反乱、外国勢力を呼びこみかねない大規模武装内乱だったのです。

天草四郎の首をポルトガル商館前に晒《さら》すのは、今日の観点からはもちろん残虐な所業に思えますが、当時の日本人は世界覇権国家ポルトガルを真正面から威嚇する胆力を持っていたことに着目すべきです。どんなに侮辱され、浸透工作を受け、土地を買い荒らされても何もできない今の日本人とは大違いだということです。

こういう観点からも鎖国を見直す必要があると私は考えます。

江戸初期のリアルな世界観を失った「属国日本」の哀しさ

現在もまた、新しい形の強烈なグローバリズムがのし歩く時代です。

世界を分かつ対立を理解する場合、二つの軸で考えるといいと思います。

一つは、「グローバリスト（世界統一主義者）」対「国家主権を守りたい人々」の戦い。

もう一つは、「G７を核とする欧米諸国」対「ＢＲＩＣＳを核とする反欧米諸国（グローバルサウス）」の戦いです。

ある部分では重なり合うパラレルな冷戦構造とも考えられるのではないでしょうか。

日本はG７のメンバーであり、名目的に西側自由主義国の一員ということになっていますが、敗戦の結果、実質的にはアメリカの属国です。これは比喩でなく、事実です。

それも、戦後78年以上も経ってようやく属国として統治され続けてきた事実に気づき始めた程度です。気づき始めた理由は、衰退著しいアメリカの民主党が、日本を属国扱いすることをもはや隠そうともしなくなったからです。

吉田茂《よしだしげる》が独立の必須条件である再軍備を拒否し続け、それを長年放置したために、自衛隊には自己完結した継戦能力がありません。

あくまでもアメリカ軍の補完部隊という位置づけで、米軍の軍事システムの中でしか活動できないため、当然アメリカに逆らうことはできません。そして残念ながら、自立した軍事力の後ろ盾なくしては、独自外交を行うことは決してできないのです。

日本は世界で唯一、中・露・北朝鮮という核武装した凶悪な3カ国に囲まれているわけですが、どんなに理不尽なことを言われても、**「いざとなったらアメリカが守ってくれると信じて甘受しながら」**生きてきました。

徳川秀忠や家光の時代の気概は、完全に失われています。

宗主国アメリカの没落が止まらない今、日本が存続するためにどうしても必要なのは、当時の自立心と主権を何とかして取り戻すことであり、その意味で、かつての日本が鎖国を選び取った経緯から学ぶことは大なのです。

それにしても、当時も危ういものがありました。秀吉も家康も交易を重視するあまり、キリスト教の危険性を甘く見ていたところがありました。この、経済を重視して安全保障を軽視する傾向は、今の日本人のほうがはるかに顕著だと言えるでしょう。

敗戦後、日本人は自衛のための戦争すら忘れて、経済活動のみに専念して生きればいいという「吉田ドクトリン」を信じてきました。その結果、安全保障に対する意識が極めて低いものになってしまいました。しかし、独立国であるのなら、国対国の関係で防衛におけるフリーライドは絶対に存在しません。

「私を守るために、あなたが命を懸けてください」という話は成立しないのです。

当時のキリスト教の布教は、今でいえば、サイレント・インベージョン（目に見えぬ侵略）だと言えます。

当時の侵略者が西洋のキリスト教国家群だったのに対し、現在の侵略者の一つは共産主義の中国ということになります。しかし、日本の経済人は**安全保障について考えることすら悪だ**と言わんばかりに、盲目的に中国ビジネスにのめり込みました。安いコストと巨大な市場に目がくらんだのです。大企業たちはこぞって生産拠点を中国に移してしまい、国内の製造業は急速に空洞化が進みました。篭絡《ろうらく》された政治家も数知れません。

この数年、ようやく経済安全保障という言葉が認知され始めた感がありますが、はたしてかつての秀忠や家光のように、目先のビジネスの利得に目をつぶり、安全保障に舵を切って国を守ることができるでしょうか？　もう一度国内の産業育成に励むことができるでしょうか？　それとも、もう手遅れなのでしょうか？

外国勢力に媚び、国を売る政治家・官僚・経営者は内なる敵＝現代のキリシタン大名だ

前述したように、当時のキリシタン大名の売国ぶりは凄まじいものがありました。強力な兵器の供給を受けてライバルに勝つことを最優先し、宣教師の利益誘導に乗せられた挙句、領民を強制的に入信させ、神社仏閣を破壊し、僧侶や神官を殺害し、あろうことか領内の日本人を奴隷として売り飛ばしました。長崎や浦上《うらかみ》といった土地まで差し出してしまいました。

秀吉と徳川三代がもし愚かで、対応がもう少し遅れたり甘かったとすれば、九州はポルトガルやスペインに支配されてしまっていたでしょう。鎖国体制を整えつつあっても、島原の乱が起きてしまい、鎮圧に際して膨大な被害を出してしまいました。

今も、まさにキリシタン大名のような国会議員や地方議員、知事、官僚がうようよ存在しています。リアルな現実の見えない経営者たちも同罪です。内なる敵なのです。

彼らは日本侵略を目論む中国に媚び、日本を不当に侮蔑し続ける韓国に媚び、大勢の日本人を拉致したまま弾道ミサイルを発射し続ける北朝鮮に媚び、日本を属国扱いするアメ

リカに対しては平身低頭隷属します。

彼らの頭の中には、国益も国民の生命・財産もありません。自己利益と保身のために外国勢力に全てを差し出して一点も恥じないのです。

まさにキリシタン大名の再来だと言えるでしょう。

それどころか、もはや政権自体がキリシタン大名化してしまっていると言っても過言ではないかもしれません。あの時代、幕府が軟弱だったら九州を失う可能性がありましたが、今は、日本そのものを失う可能性があると言わざるを得ないでしょう。

鎖国を実施した後、海外から物資の流入が減った分、国内産業が発達しました。幼稚産業が保護されて基盤を築いたほか、江戸期の食料自給率はもちろん100％でした。

ところが第二次大戦敗戦後、食糧難に陥ると、アメリカのガリオア資金などによる援助という名目で、アメリカの生産過剰による余剰農産物を引き受けさせられることになります。「コメを食べると馬鹿になる」という洗脳キャンペーンまでされて、「パン食・肉食」へと食文化を変えさせられてしまったのです。

そのため、コメ農家を始めとする国内農業は圧迫され、さらに食料自給率が大幅に低下し（カロリーベースで38％・実質はすでに10％とも）、ますますアメリカなどのグローバル穀物商社や巨大種子・化学企業などへの依存度を高めています。

1990年代後半くらいから、「市場原理主義者」が、「マネーを最大化するために最適地生産を進めよ」と圧力をかけ、グローバル化の波が押し寄せました。その結果、サプライチェーンが海外に分散し、国内では生産を完結できなくなってしまいました。

そのため、コロナ禍やウクライナ戦争などの影響をさらに強く受ける構造となり、半導体が海外から入荷しないからという理由で民生品の生産が滞ったり、納期遅れがしばしば出ていることはご承知のとおりです。

経済安全保障、農業安全保障の根幹が蔑《ないがし》ろにされてきたこと、これらは全て国家安全保障に深く関わる深刻な事態です。

鎖国というと、江戸時代の閉鎖的、排他的、孤立的政策であったような印象を受けるかもしれませんが、日本人は現在の国家存亡の危機を乗り越えるため、今こそ鎖国の意味と意義を理解し、「シン・鎖国」として何をどう適用すべきかを精査する必要があるのです。

秀吉の時代、キリシタン大名に神社仏閣を完全に焼き払うように指導したイタリア人宣教師のオルガンティーノは、晩年、書簡の中で日本人についてこう書いていたそうです。

「われらヨーロッパ人は賢明であるかのようにように見えるが、彼ら日本人と比較すると、はなはだ野蛮であると思う。私は世界中でこれほど天賦の才能を持つ国民はいないと思う。日本人は怒りを表すことを好まず、儀礼的な丁寧さを好み、贈り物や親切を受けた場合はそれと同等の物を返礼しなくてはならないと感じ、互いを誉め、相手を侮辱することを好まない」（『鎖国の正体』鈴木荘一著・柏書房）

もう一度、日本人が「鎖国＝主体的選択」をすることは可能でしょうか？

3 目前に迫る「WHO＝世界政府」という悪夢

パンデミック条約は、「全人類奴隷化」のための見え透いた罠

話は、江戸時代の鎖国から現在に戻ります。

2019年末から世界を襲った新型コロナ騒ぎが、やっと収束しつつある2023年。街は賑わいを取り戻し、観光名所は外国人たちで溢れています。やっと元の生活が戻ってきたという安堵感が広がっています。

その一方で、新型コロナワクチンに関しては、懐疑的な見方が強くなりつつあります。理論的には早くから多くの専門家に指摘されていたことですが、免疫低下によってワクチンを打てば打つほど罹患《りかん》しやすくなりますし、死亡事例を含めた深刻な副作用のケース

も多く報告されるようになりました。経験的にも、複数回ワクチン接種した人ほどコロナに多く感染しているように見えます。

国には予防接種健康被害救済制度というものがありますが、その制度によるワクチン被害の認定件数が、約2年間の新型コロナワクチンの被害だけで、**過去45年間の〝全てのワクチンによる被害〟の累計を超えてしまった**というのですから、いかに被害が大きいかがわかります。

新型コロナが猛烈な勢いで広がった２０２０年は、毎年1万人ほど亡くなるインフルエンザによる死者がほぼゼロとなり、超過死亡がマイナス（あらかじめ予想されていた死者数より８０００人程度死者が少なかった）、つまり、珍しく人口増加となりましたが、２０２1年のワクチン接種開始後は、超過死亡者数が過去に全く類例がないほど激増しています。コロナ感染による死者数を何倍も超える数であり、しかも、**ワクチン接種者数のピークと超過死亡者数増加との相関は明らかですから、ワクチン接種と死亡者増の因果関係を疑うのは当然のこと**です。

私自身は、２０２０年初頭に武漢で新型コロナウィルスの蔓延が報告された時点では、未知の脅威として厳格な水際対策を講じることを主張していましたが、ワクチンが出回り始めてから、これはおかしいなと感じ始め、ワクチンに対しては懐疑的な姿勢を取り、特に子どもや若年層への接種には強く反対し続けました。

そして、多面的にデータを見てきた結果、この一連の出来事はどう考えても偶発的なものではなく、事前に綿密に計画され、準備されていたという確信を持つに至りました。

機能獲得実験で作られたウィルスをばら撒き、ことさら恐怖を煽り、人々が怯えたところでワクチンを投入すれば、多くの人が進んで接種します。

この作戦は大成功したわけですが、仕掛けた側は次の点に留意したはずです。

・パンデミックという異常事態の下《もと》では、人々は驚くほど従順になることが確認できた
・各国ごとにバラバラの対応であった

仕掛けた人々は、**本気で過剰な世界人口を減らし**、グレートリセットによって世界を統一的に支配するシステムを構築しようと考えている人たちですから、これで終わるわけがないのです。COVID-19は第1ステージに過ぎず、第2、第3の人工的感染症ウィルス騒ぎが用意されているに違いないと思っていたら、案の定でした。

２０２３年9月に入ると、アメリカやイギリスで変異株による感染が再拡大しているため、米食品医薬品局（ＦＤＡ）が、ファイザー社やモデルナ社の開発した変異株対応型追加接種用ワクチンを認定したというニュースが流れました。またやる気でいるわけです。

これから冬に向かって、まずは前回と同じようなシナリオを描いていることでしょう。

しかし、今回は前回のようなＰＣＲ検査やワクチンによる荒稼ぎだけでは済ませず、本来の目的に向かって着実に進むための大きな布石を打ってくることが明らかです。

それが、**国際保健規則改訂とパンデミック条約**です。

今回のパンデミックでは、国ごとの対応の違いが顕著でした。

スウェーデンのように、マスク着用を含めて「基本的に全く対応しない」国もあったし、日ごろはのんびりとして人権意識が高いカナダ、オーストラリア、ニュージーランドといった国々で世界を驚かせるような強圧的な政策が実施され、ワクチン接種を拒否しただけで、多くの人が職を失いました。

ヨーロッパでワクチン接種義務化に反対する平和的なデモが弾圧される事態が起きたり、カナダでは〝フリーダムコンボイ〟と呼ばれる長距離トラック運転手による接種義務反対を訴える平和的なデモに少額を寄付しただけで、一般人の寄付者の銀行口座が凍結されるなどという国家の暴走もありました。

日本ではどうだったでしょう? 表向きはワクチン接種を強要してはいけないことになっていましたが、職場等の同調圧力に屈していやいや接種した人も少なくありませんでした。またその後、他の国では多回の接種を「推進しない」あるいは「ストップした」にも拘らず、日本だけが6回、7回と追加接種し続けたので、人口当たりの接種率は断トツ世界一になってしまいました。こんなに打ち続けたのは世界で日本人だけなのです。

ニュージーランド在住の知人は、いざとなったら家族を連れてヨットで脱出する覚悟でワクチン接種を拒否し続けていると言っていました。

カナダ在住の友人も、真剣に国外脱出を考えて悩んでいましたし、オーストラリア在住の友人は厳しい行動制限と差別にじっと耐えながらワクチン接種を回避していました。

日本在住の私は、特に何の圧力も感じずに堂々と未接種を貫きました。

このような国ごとの差異や、個人の意思による独自の行動を一切許さず、国家から主権を完全に取り上げて、世界を統一的に管理するための布石が、国際保健規則改訂とパンデミック条約なのです。

まさに、パンデミックを利用して、現在の中国のような中央集権的な高度管理システムを構築し、世界を統一的に支配するために、グレートリセットを実行しようとしているのです。

言い換えれば、グレートリセットを実現するために、意図的にパンデミックを計画していた（プランデミック）と考えざるを得ません。それこそが、仕掛けている側の究極の目標なのです。

喉元に迫る刃——国際保健規則改訂は「即・世界政府成立」を意味する

2024年5月に、WHO（世界保健機関：World Health Organization）加盟国の会議である、世界保健総会（WHA：World Health Assembly）が開催され、そこで国際保健規則（IHR：International Health Regulations）の改訂と、パンデミック条約について決議されることになっています。

国際保健規則？　聞きなじみがないな、という方も多いのではないでしょうか？

デジタル大辞泉には次のように記載されています。

感染症などによる国際的な健康危機に対応するために世界保健機関（ＷＨＯ）が定めた規則。「国際交通に与える影響を最小限に抑えつつ、疾病の国際的伝播を最大限防止すること」を目的とする。１９５１年に国際衛生規則（ＩＳＲ）として制定され、１９６９年に現在の名称に改められた。交通・流通の国際化に伴い、発生地での初期対応の遅れが世界的な被害拡大につながる危険性を増していることなどから、２００５年に大幅に改正。対象をそれまでの黄熱・コレラ・ペストの３疾患から「原因を問わず、国際的に公衆衛生上の脅威となりうる、あらゆる健康被害事象」に拡大。自然に発生した感染症だけでなく、テロや不慮の事故で漏出した化学物質・放射性物質による疾病の集団発生なども対象となる。ＩＨＲ（International health regulations）。

２０２１年末、米国のバイデン政権とＥＵ委員会からそれぞれ、国際保健規則２００５年版の改訂に関する提案が出されました。その改訂案は、３００カ所以上の変更点と大量な書き足し及び６つの新規条項、さらに新規付属書１つを含む〝**抜本的な変更**〟を求めるものでした。改訂どころか、その質的変更は完全に新たな規則を定めようとするものとしか思えません。その主な内容をまとめると以下のようになります。

①『勧告から義務への変更』：ＷＨＯの全体的な性格を、単に**勧告を行うだけの諮問機関から、法的拘束力を持つ統治機関に変更**する。（第1条および第42条）

②『実際の緊急事態（ＰＨＥＩＣ：public health emergency of international concern＝国際的に懸念される公衆衛生上の緊急事態）ではなく、**潜在的な緊急事態を対象とする**』：**国際保健規則の適用範囲を大幅に拡大し、単に公衆衛生に影響を及ぼす可能性のある場合のシナリオを含む**。（第2条）

③『尊厳、人権、自由の無視』：条文中の「人々の尊厳、人権、基本的自由の尊重」を削除。（第3条）

④『保健製品の割当を行なう』：ＷＨＯ事務局長に「保健製品の割当計画」を通じて生産手段を管理させ、先進締約国に**パンデミック対応製品を指示通りに供給するよう求める**。（第13条Ａ）

⑤『強制医療』：**ＷＨＯに、健康診断、予防薬の証明、ワクチンの証明、接触者追跡、検疫、治療を義務づける権限を与える**。（第18条）

⑥**『グローバルヘルス証明書』**：検査証明書、ワクチン証明書、予防接種証明書、回復証明書、旅客所在確認書、旅行者の健康宣言書を含む、デジタル形式または紙形式のグローバル健康証明書システムを導入する。（第18条、第23条、第24条、第27条、第28条、第31条、第35条、第36条、第44条、付属書第6条、第8条）。

⑦**『主権の喪失』：健康対策に関して主権国家が下した決定を覆す権限を緊急委員会に与え、緊急委員会の決定を最終決定とする。**（第43条）

⑧『不特定の、潜在的に莫大な財政的コスト』：何十億ドルという**指定のないお金を、説明責任のない製薬・大病院・緊急事態産業の複合体に割り当てる。**（第44条A）

⑨**『検閲』：世界保健機関が誤報や偽情報とみなすものを検閲する能力を大幅に拡大する。**（附属書1、36ページ）

⑩『協力義務』：改訂ＩＨＲの発効時点で、ＰＨＥＩＣを執行するためのインフラの構築、提供、維持の義務を設ける。（附属書10）

（全国有志医師の会　２０２２年10月27日発効のメルマガより引用：上條《かみじょう》 泉《いずみ》氏の寄稿文）

何でしょうか、これは！　想像を絶するひどさだと思いませんか？

ＷＨＯを、従来の諮問機関的なものから「主権国家の上に君臨して統一的に統治する権限を持つ機関」に作り替えようとする、とんでもない代物です。**ＷＨＯを事実上の世界統一政府にする、とこの改定案には書かれているのです。**

改定案は２０２４年５月に開催される世界保健総会で、出席者の過半数の賛成で可決されます。可決されれば、12カ月後に発効し、この規則を拒否する場合は10カ月以内にＷＨＯを脱退する必要があります。

パンデミック条約成立で、彼らは万物を統《す》べる「神」になろうとしている

次に、世界保健規則の改訂と車の両輪ともいわれるパンデミック条約について見てみましょう。これは文字通り、パンデミックに特化した条約のはずですが、内容は以下のとおり、国際保健規則とかなり重複します。

・ＷＨＯの主導・調整機関としての中心的役割の強化（CA+第3条）
・ＷＨＯの感染拡大地域への迅速なアクセスの促進。特に、発生した問題に関する現地

での対応を評価し、サポートするための専門家チームを送り込む（CA+ 第15条）
・パンデミック防御のための戦略的な製品の在庫備蓄の拡大およびその維持（CA+ 第7条）
・パンデミック製品（特に医薬品有効成分）の持続的生産のために必要な素材の備蓄の準備（CA+ 第13条）
・製薬会社に対してその医薬製品の開発、生産、生産容量拡大、流通および在庫に関して可能な限りインセンティブ（奨励金）を提供する（CA+ 第3、9、12条）
・民間部門（例：製薬会社）およびNGO（例：各種財団など）とのさまざまな形態での協力関係を結ぶ（CA+ 第6、11、16、19条）
・**ワクチン被害者への補償は一定期間にのみ限定**（CA+ 第10条）
・WHO事務局長は、**自らの権限に基づき、関連政府の同意を得ることなく、**国際的に懸念される公衆衛生上の緊急事態（public health emergency of international concern, PHEIC）を宣言することができる（CA+ 第15条）
・**「インフォデミック」に対して、ソーシャルメディアなどの各種情報伝達チャンネルを通して管理し、虚偽の情報に対抗する**（CA+ 第18条）
・CA+によって初めて決定的に国際法として採用されることになる**「ワンヘルス・アプ**

ローチ」によって上記のすべての方針と措置は、家畜、野生動物、植物界、気象を含めた環境関連事象にも適用される。すなわち、家畜に対しての強制的なｍＲＮＡワクチン接種か殺処分の二者択一が迫られ、締結国家は、ほとんどの伝染病が動物界から人間に伝染するものである、ということを決まり事として公的に認めることになる（CA+第4、5条）

・**機能獲得実験に関しては、その危険性からくる安全規制が緩められ、安全措置は各研究主体の良心に任される**（CA+第9条）

・**健康と自由に関する人権が狭められる**（CA+第2条）

（全国有志医師の会　2022年10月29日発効のメルマガより引用：上條泉氏の寄稿文）

パンデミック条約も2024年5月に開催される世界保健総会で採決される予定で、こちらは出席者の三分の二の賛成で可決し、18カ月以内（2025年11月まで）に批准することが求められます。

同じような内容を別々に提案した理由は、どちらかが否決されても間違いなく目的を果たせるようにするためだと言われています。パンデミック条約は出席者の三分の二ですが、国際保健規則の改訂は過半数なので、こちらのほうが可決の可能性が高くて危険です。

「シン・鎖国」をしてWHO脱退を急ぐ以外に生き残る方法はない

国際保健規則の改訂、あるいはパンデミック条約が可決されてしまえば、WHOの事務局長の意向で「国家の主権など関係なく」「潜在的な緊急事態であっても」一方的にパンデミックが宣言されることになります。誰が読んでもその通りに書いてあるのです。

すなわちWHOに加盟する全ての国家は、可決後、規則や条約が発効した瞬間に、その主権をWHOに差し出すことになってしまいます。

まさに、グローバリストが望む世界統一政府の誕生であり、国家主権と基本的人権の喪失です。そんな異常なことが〝**実際に**〟起ころうとしているのです。

パンデミック条約には、**ワンヘルス・アプローチ**という言葉が出てきます。健康分野でも各国の独自判断と行動を許さず、主権を取り上げ、WHOの下に統一的に管理統制するという恐ろしい考えです。

これは、実に見え透いた罠です。先般のパンデミックでやりかけたことの総仕上げをしようとしているのです。思考停止した人々が同じ罠に嵌《はま》ることを期待しています。

もう一つ驚くべきことに、日本はこの流れを促進する側にいるのです。

パンデミック条約政府間交渉会議の副議長は田口一穂《たぐちかずほ》氏という外務省在ジュネーブ国際機関日本代表部の公使参事官で、厚労省大臣官房国際化・国際保健・協力室長より出向している人です。あちら側に人員まで出しているのですから、日本政府は嬉々としてふたつの議案に賛成するでしょう。

福島県南相馬《みなみそうま》市には、2023年8月にmRNAの原薬を製造するアルカリスという企業の巨大なワクチン工場が完成しました。もう属国である姿を隠そうともせず、米CDC（疾病予防管理センター）の日本事務所まで受け入れるとのことですから、ネズミでしか実験していないワクチンをいきなり日本国民に接種させることに何の躊躇《ちゅうちょ》もしないでしょう。（2023年9月20日接種開始）

もちろん、世界ではこの動きに対して大きな反対の声が上がっています。

今回のパンデミックで、WHOが民間出資者に支配され、製薬会社などのグローバル企業とべったり癒着していることが誰の目にも明らかになったからです。

WHOへの出資金1位は米国政府ですが、2位はビル&メリンダ・ゲイツ財団。3位はGAVIアライアンス（ワクチンと予防接種のための世界同盟＝Global Alliance for Vaccines and Immunizationから改称）という組織ですが、ここに最も巨額な出資をしているのもビル&メリンダ・ゲイツ財団で、実質2位と3位がゲイツ財団ということですが、その額を合計すると米国政府を大きく上回るのです。日本人の多くはWHOを国連機関であるかのように錯覚しているかもしれませんが、実態はまるで違うのです。

米国第45代大統領のトランプ氏は、在任中に大統領令を発し、米国をWHOから脱退させようとしていましたが、バイデン大統領は2021年1月の就任当日に「WHO脱退を取り消す大統領令」にサインしました。正しいのがどちらだったか、答えは明白でしょう。

世界中の多くの人が、アンソニー・ファウチがいかに嘘つきであり、ビル・ゲイツが世界の人口を減らそうと懸命に努力する危険な「優生学の使途」であり、全てが仕組まれた茶番であったことに気付き、心底呆れ、怒り心頭に発しています。

しかし、こともあろうに日本政府は、ファウチに旭日重光章《きょくじつじゅうこうしょう》を、ゲイツに旭日大綬章《だいじゅしょう》を与えてしまいました。かつて東京大空襲を始めとする都市空襲を指揮して一般市民を大虐殺したカーティス・ルメイに勲章を与えた愚行を性懲《しょうこ》りもなく繰り返しました。

２０２３年6月、アメリカ下院歳出委員会からは、ＷＨＯへの献金を中止し、ＷＨＯからの脱退を求める法案が提出されました。中国、ロシア、インドを中心とする拡大ＢＲＩＣＳ陣営の今後の動きも注目されます。

このようなグローバル・全体主義への流れに対抗すべく、ＷＣＨ（World Council for Health＝世界保健会議）という反ＷＨＯ組織が誕生し、既に約45カ国が加盟しているとのことです。日本支部もすでに設立されています。

日本が日本として存続するためには、このようなグローバリズムの支配に徹底的に抵抗しなくてはなりません。

それには、日本国民が迫り来る危機を前に覚醒し、「シン・鎖国」の道を選び取るしかないのです。もう時間がありません

3章

盗まれ続けてきた日本よ、目覚めよ

国民と国益を守るために

1 国民と企業の利益はどこに消えた？

総理自ら「日本を売ります。みなさんで買ってください」という破廉恥

21世紀に入ってからの日本の国力衰退は明らかです。このまま溶けて消えてしまうのではないかとさえ思えます。

日本は、安全保障を米国に委《ゆだ》ね、経済に専念することによって繁栄しようとしてきました。平和国家だ、経済大国だと、うまくやってきたはずだったのに、もはや誰の目にも衰退が明らかです。

経済至上主義を謳《うた》っていた国の経済が駄目になると、本当に惨めなものです。しかし、この期《ご》に及んで岸田首相は外国まで出かけて、「日本を売ります。みなさんで買ってください」と懇願しているのです。まるで誰かにきつく命じられているようです。

2023年9月21日、訪米中の岸田首相は、企業経営者や金融関係者らで構成する「ニューヨーク経済クラブ」主催の会合で講演し、日本への積極的な投資を呼びかけました。その中で特に気になる部分を抜粋します。（産経新聞9月22日　岸田首相「世界の投資家のニーズに沿った改革」ニューヨーク経済クラブ講演全文より）

「日本における資産運用セクターが運用する資金は800兆円で、足元3年間で1・5倍に急増している。このパフォーマンスの向上を狙い、運用の高度化を進め、新規参入を促進する。まず、日本独自のビジネス慣行や参入障壁を是正し、新規参入者への支援プログラムを整備する。あわせて、バックオフィス業務のアウトソーシングを可能とする規制緩和を実施する。また、海外からの参入を促進するため、資産運用特区を創設し、英語のみで行政対応が完結するよう規制改革し、ビジネス環境や生活環境の整備を重点的に進める。世界の投資家のニーズに沿った改革を進めるため、皆さんも参加いただいて、日米を基軸に、資産運用フォーラムを立ち上げたい」

（中略）

「2000兆円を超える個人金融資産を活用した日本の資産運用ビジネスの発展は、法の支配や市場経済といった普遍的価値を共有する日米間において、投資の流れとウィンウィンの関係を強固にし、世界経済に大いに貢献するもの。既に述べた構想を政策パッケージとして具体化し、世界の投資家に賛同いただくため、この秋に、世界の投資家を日本に招聘《しょうへい》する「ジャパン・ウィークス」を展開する。皆さんにも、ぜひ参加いただきたい」

なんと、割安の日本企業が外国資本に買い漁《あさ》られてる状況下で、今度は2000兆円を超える日本人の個人金融資産の運用に外国の資産運用会社を参入させたいというのです。

そして、それを政府として後押しするために、「資産運用特区」なるものまで作り、英語のみで行政対応ができるように規制改革までするというのです。

明らかに日本人の個人金融資産に手を付けたい海外勢に迎合しています。これが世界経済に大いに貢献すると言っていますが、日本国民の金が世界に流出することを意味します。

彼がすべきことは日本経済と日本人の生活向上への貢献のはずです。まさに売国的なキリシタン大名を彷彿とさせます。

日本衰退の最大要因は、消費税だった

私は当初、日本経済が衰退した原因はグローバル化にあると考えていました。

私自身、海外のグローバル企業で働いていましたから、21世紀に入ってからのグローバル化の進展の凄まじさを肌で感じていました。そして、その中で日本企業はおろか、グローバル企業の日本法人でさえどんどん取り残されて行く姿を間近に目撃していました。グローバル化の時代は、日本人にとってひじょうに生きにくい時代だと思ったものです。

しかし、どうやら日本の敗因はそれだけではないようです。もちろん、グローバル化にうまく対応できなかった企業も少なくないのですが、実はそれ以外に、日本人自身が自らの首を絞める罠をかけていたのです。それが消費税です。

矢田部《やたべ》猛《たける》税理士事務所（茨城県下妻《しもつま》市）が作成した動画を参考にご説明します。何のことはない、日本人は自滅していたのです。

消費税が導入されたのは1989年。平成元年の竹下昇《たけしたのぼる》内閣のときでした。

消費税というのは、当然ながら間接税だと教わりました。累進性のある直接税に対して、所得水準には関係なく、広く浅く課税する間接税は有効な税制で、直接税と間接税の比率（直間比率）が重要であるようなことを聞いた覚えがあります。

しかしその後、不思議に思ったのは、バブルが崩壊してデフレ基調になってからも、国が消費税率を上げ続けたことです。その度に、上がりかけた景気が腰折れして、デフレが酷くなるのですが、止めようとしません。

日本経済は内需主体で、ＧＤＰの約６割が日本国内の個人消費によるものです。したがって、景気が悪い時に消費税を上げて消費が低迷すれば、デフレを脱却できなくなります。

そんなことは素人にもわかっているのに、消費税は２０１９年10月にとうとう10％にまで引き上げられました。

これについての財務省の言い分はこうです。

＊　＊　＊

社会保障制度の財源は、保険料や税金だけでなく、多くの借金に頼っており、子や孫などの将来世代に負担を先送りしています。

少子高齢化が急速に進み、社会保障費は増え続け、税金や借金に頼る部分も増えています。安定的な財源を確保し、社会保障制度を次世代に引き継ぎ、全世代型に転換する必要があります。こうした背景の下、消費税率は10％に引き上げられました。

消費税率の引上げ分は、すべての世代を対象とする社会保障のために使われます。

https://www.mof.go.jp/tax_policy/summary/consumption/consumption_tax/index.html

＊＊＊

「全ての世代を対象とする社会保障費の負担を将来世代に先送りしないために」と言われると、正面から反対できる人はいません。しかし、これは本当なのでしょうか？

消費税は間接税？　直接税？　変転する政府の見解

実は、政府が言うことはくるくる変わってきています。財務省から出されているパンフレットでは、「消費税とは、消費一般に広く公平に課税する間接税です」と明記されていますが、実は過去の大蔵省時代には、消費税は間接税ではなくて直接税だと言っていたのです。いったいどういうことでしょうか？

消費税が導入された1989年に存在していた「サラリーマン新党」という政党が、政府を相手に裁判を起こしたことがあります。「消費税は消費者が負担する税金なのに、年商が一定額以下の事業者が免税となるのは、預かり金をピンハネする行為（益税）だ」と訴えたのです。

判決は1990年3月26日には東京地裁で、同年11月26日に大阪地裁でそれぞれ出されました。判決はいずれも原告の敗訴で、免税は益税（ピンハネ）ではない、というものでした。

実は、この裁判における大蔵省（当時：2001年の中央省庁再編により、財務省に改称）

の反論が驚きで、消費者が負担する消費税は「物価の一部に過ぎない」というのです。

物価というものは、最終的には市場における需給で決まるものだから、消費税は個別の物品に課せられているものではなく、事業者が一年間に作り出した付加価値に一定の税率をかけて払うものである。そうなると、消費税は事業者の観点からは実質的に直接税ということになります。直接税であれば、たとえば所得税でも、年間の収入がこの額までは無税という、免税点というものがありますから、小規模事業者に対する免税は預かり金のピンハネにはあたらない、というのが大蔵省の主張を汲んだ判決の主文でした。

原告は控訴しなかったので、これらの**判決により、消費税は実質的には直接税であることが法的には確定**されたことになります。

ここで、消費税は間接税であるという大前提が崩れたわけですが、付加価値に課税するとはどういう意味でしょう？

もともと日本の消費税は、欧州の「付加価値税（VAT：Value-added tax）」を下敷きとして作られた税制なのですが、付加価値とはなんでしょうか？

一般的な感覚で考えると、たとえば木材を買って、それを加工して美術品とか道具にすれば付加価値を加えたことになります。木材を1000円で仕入れ、それを美術品にして

５０００円で売った場合、４０００円の付加価値を創造したことになるわけです。

ところが、消費税の課税対象である付加価値とは、「利益と人件費の合計」だというのです。人件費というのは会計学的には経費《コスト》（固定費）です。

ちなみに法人税は、粗利《あらり》（売上総利益）から人件費を含む全ての経費を引き去って、もし利益が残ったら、その利益に対して課せられるものです。従って、赤字であれば、当然ながら法人税は払わなくて済みます。

しかし、消費税の場合、利益と人件費の合計に課税するということは、法人がたとえ赤字でも払わなくてはならないということになります。たとえ赤字の事業者であっても、消費税率が上がるほど税負担が増えるということで、ひじょうに過酷な税金だということになります。ちなみにアメリカには消費税は存在しません。合衆国には、各州ごとに決める売上税があり、税率もそれぞれです。

アメリカは、チャレンジすることを重視する国ですから、赤字であっても納税しなくてはいけない消費税スタイルのものではベンチャーが育ちにくいと考えているようです。

消費税は、過酷な性質だからこそ、滞納も非常に多い税金なのです。

消費税額と同程度の法人税額が減税されている?

日本の消費税は、実際に正しく社会保障目的税として使われているのでしょうか? お金に色は付けられませんので、総額で検証していかねばなりません。

調べてみると奇妙なことに、消費税によって得られた税収とほぼ同じくらいの規模で、法人税が減額されているのです。

もう一つ、「輸出戻し税」に関しても疑問があります。海外の消費者に日本の消費税を払ってもらうわけにいかないので、輸出品に対しては消費税を課税しないというのが国際ルールなのですが、輸出業者は、自分が仕入れる際には消費税を払っているので、その分が「損」になってしまいます。その税負担分を税務署が輸出業者に還付する仕組みを、俗に「輸出戻し税」と言います。輸出戻し税は、全ての輸出業者に還付されるわけですが、輸出大企業にとっては巨額なものになります。

この輸出戻し税が、実質的な輸出補助金になっています。また、全てとは言いませんが、規模の大きい企業が取引先の下請けなどから仕入れをする際、「消費税の一部をディスカウントしてよ」などと単価を買い叩くケースがあり、そうしたケースでは「実際は負担していない消費税分」も含めて戻し税によって補助されていることになります。「消費税分を還付する」という仕組みですから、消費税率が高くなればなるほど大企業にとっては有利になるわけです。

一方、実質的な税金とも言える社会保険料は、国会で具体的な議論もされないまま、毎年確実に上がり、国民負担率も上昇する一途です。

そもそも日本の消費税は社会保障目的税として、4つの目的（①年金②医療③介護④少子化対策）にしか使わないとされていますが、税の使用先を決めている国は、日本以外にはありません。年金、医療、介護は保険制度として賄うべきであって、収入が大きく変動する税によって運営されるべきではないからです。

経団連は、常々消費税アップを推す意思表示をします。早く19％まで上げたらいいのになどということまで言います。

マクロ経済学的な理論から言っても、実際に何度も景気の腰折れという痛い目に遭った経験則から言っても、消費税増税は景気を悪化させることがわかりきっているのに、なぜ、経団連がそれを容認するどころか、わざわざ望むのか、その理由は前述のとおりです。

2023年9月11日にも「少子化対策のために、消費税増税をするのは有効な選択肢」

との提言を発表しました。とても正気の沙汰とは思えませんが、経団連としては、「社会保険料の支払いを企業側が半額負っているのが重荷なので、財務省の〝消費税増税案〟は後押しするから、その代わりに法人税減税をしてほしい。企業としてはそのほうがメリットがある」というのが本音なのでしょう。その理由については後述します。

国益のための意思決定とか、国家的な大局観などという視点はかけらもなく、まさに経団連は「今だけ、金だけ、自分だけ」で目先の短期的利益のことしか考えていない雇われ経営者団体であることがよくわかります。これでは国は滅びます。

そもそも消費税とは、1959年にフランスで生まれた税制で、当時、国営企業だったルノー（現在は、最大株主はフランス国家だが、半官半民）に補助金を出すことは不公正だと批判されたために、払うべき税金の還付という体裁をとって、実質的にルノーを補助する目的で考えられた税制だったとのことです。

日本政府も、庶民や中小・零細企業、自営業者にとっては間違いなく負担となる消費税を、輸出産業や経団連を構成しているような巨大企業には「裏技」を使って還付するような形で保護しているわけですが、それで果たして日本企業の国際競争力は増しているのでしょうか？

日本の大企業が世界で躍進し、雇用を増やすことで全体の給与水準が上がり、積極的に設備投資も行って下請けの中小企業にもその波及効果があるというのならまだしも、全体として日本企業の国際競争力は著しく低下しているのが現実です。

日本企業・日本経済をダメにした3つの要因

スイスのビジネススクールＩＭＤ（International Institute for Management Development／国際経営開発研究所）が毎年公表する世界競争力ランキングによると、１９９２年には1位だった日本は、２０１８年には25位にまで低下し、２０１９年には30位、２０２０年から２０２２年までは34位と、さらに順位を下げています。

また、アメリカの経済誌「フォーチュン（Fortune）」が発表した世界企業番付トップ１００を見ると、１９９２年に20社がランクインしていたのが、２０１８年には8社に、２０２２年になると7社に減少しています。

その一方で、増え続けているものが「3つ」あります。

1番目は**企業の内部留保**です。財務省の法人企業統計によると、2021年度末の内部留保は2011年度以来10年連続で増加しており、ついに合計で500兆円を超えました。これは、日本の年間GDPに匹敵するほどの額です。日本企業は設備投資にも賃上げにも消極的で、ひたすら内部留保を増やしているのです。

2番目は**株主への配当**です。これは資本金10億円以上の大企業のデータですが、株主への配当比率は、1997年を100とした場合、2018年には620、実に6・2倍になっているのです。一方で従業員給与は96、設備投資も96と減少しています。ちなみに売上高は107とほぼ横ばいですが、経常利益は3・19倍に増加、役員給与は1・32倍です。

（相川清・『日本経営倫理学会誌』第27号・2020年「法人企業統計調査に見る企業業績の実態とリスク」より）

まさに、「株主資本主義」「株主第一主義」が集約された数字だと思います。

かつての「会社は経営者を含めた従業員《みんな》のもの」という日本的経営のマインドは、「会社は株主のものであり、経営者は株主への還元・配当を極大化しなくてはならない」という株主資本主義によって完全に解体されてしまいました。

この興味深い論文では、リーマンショック前と後を分けて分析しているのですが、2013年以降、売上高がほとんど伸びていないにもかかわらず、経常利益、当期純利益が大幅に伸びている要因は、生産性向上によるものではなく、

①減価償却費の激減（1997年の0・8倍）
②金利負担率の大幅低下（同0・45倍）
③法人税負担率の大幅低下（同0・29倍）

によるものだと分析しています。

①減価償却費の減少は、設備投資の減少に伴うもので、設備投資を減らし続けてきた結果、数値上の利益率が改善しているにすぎないのです。生産拠点を海外に移したことで国内生産が減少した面もあるでしょうが、企業が設備投資をしないということは、「その企業はもう伸びない」ということを意味します。データを見ると、1997年以降の設備投資額はずっと対前年比でマイナスが続いています。これは、日本経済にとって実に深刻です。先人たちの設備投資によって築かれてきた企業の資産を、現行

の経営陣は食いつぶしているだけということになります。

②金利負担率の低下は、もちろん日銀の長期にわたる低金利政策のおかげです。大企業ほどその恩恵にあずかっているわけです。

③法人税負担率というのは、法人税、住民税及び事業税÷税引き前当期純利益×100で得られる数値ですが、法人税等の負担減少こそが、当期純利益を爆発的に伸ばす最大の要因です。前述のように、消費税率が上がる一方で法人税率は下がっています。

そして、**株主への配当は、当期純利益から拠出されるのです。**

増え続けているものの3番目は、**外資系ファンドによる日本企業の買収**です。

「失われた30年」と言われますが、特に2000年以降からの「配当金の増加」「従業員給与総額の減少」は、政府がグローバル金融資本主義・株主第一主義の政策をスタートさせ、上場企業の株式保有において外国法人等の保有が個人等の保有を逆転し始めた時期にぴったり重なります。金融ビッグバン以降、郵政民営化で巨額の国民の金融資産が切り崩され、日本人が働いて創造した価値や利益は、ことごとく海外に流出させられる構造になってしまったとも言えます。

日本の競争力が落ち、その間に増え続けていたこの「3つ」はすべて連動していた、つまりグローバリズムと株主資本主義というナラティブ（物語）に乗せられていたとしか思えません。それをしきりに推進する学者や評論家がもてはやされていました。

「モノ言う株主」に買収された企業はどうなるか？

2023年9月21日、日本を代表する企業だった東芝が、経営再建に向けて国内投資ファンドの日本産業パートナーズと国内連合による株式公開買い付け（TOB）が成立したと発表しました。上場廃止から再建をめざすことになるということです。国内ファンドと話がまとまってよかったと思うものの、すでにグループはバラバラに切り売りされていて、収益性の高い企業は残っていないとの評もあります。2015年の不正会計問題に始まった経営混乱に本当に終止符を打てるのか心配でもあります。

東芝を「日本を代表する家電メーカー」だったと思っている人がいるかもしれませんが、とんでもありません。トランジスタから原発まで作るグローバル企業で、原子力技術に限らず、宇宙開発関連技術、ミサイル関連技術、量子暗号技術、ビル事業や電池事業を含めたインフラサービス関連などを含め、すべて高度な軍民両用技術です。半導体事業でも、1980年代はDRAMで、2000年代にはNAND型メモリーで、世界を制覇していました。

その東芝は、アメリカの原子力大手であるウエスチングハウスを2006年に買収したのですが、その後、東日本大震災などの影響もあって、原子力事業で1兆円もの評価損を出して経営難に陥り、そこで経営判断を誤って粉飾決算をしたことで大問題となりました。

上場廃止を避けるため、2017年に第三者割当増資で資金を得ようと見境なく新株を発行して6000億円を調達したわけですが、そこで株主の25％が「モノ言う株主＝アクティビスト・ファンド」となって、経営の実権を握られるようになってしまいます。

そもそもファンドというのは、投資家に対して、例えば「年率25％のリターンを確約します」などと投資を勧誘して資金提供してもらい、次に企業を買収して一定期間（5年程度が多い）株式を保有する間に、資産売却をしたりリストラをしたりして、企業のP／L（損益計算書）上の利益を極大化して、その後は買収した企業を第三者に転売します。

年率25％ということは、5年間の複利計算だと、投資した1000万円が5年後に24

40万円になって戻ってくることになります。ファンドとしては、投資家に対して確約した数字ですので、何が何でもこのリターン幅は確保しなくてはなりません。大げさに言えば、人を殺すこと以外だったら何でもするという感じです。そこには、買収した企業の文化や歴史といったものに対する敬意や配慮などは一点もありません。ヒトもモノも関係なく、すべてをお金に換算してそれを最大化し、利回りを確保することだけがファンドの目的です。

「モノ言う株主」は、経営に対して発言力を持つだけの比率の株式を保有すると、投資先企業の経営者にさまざまな要求をします。コスト削減、子会社や事業部を分社化しての売却や高収益事業の買収など経営資源の集中、経営陣刷新など役員人事への介入、つまり「モノ言う株主」の言うことをきかない役員を退任させ、思ったとおりになる役員を選任する、当期純利益を高めて株主配当を最大化するなど、あらゆる経営戦略に口を出し、限界まで儲けたら最後にはポイと投げ捨てるわけです。

海外ヘッジファンドから見れば、まだ企業価値の評価が低い日本企業は、為替相場の環境を含めてひじょうにお買い得に見えていると思います。M＆Aや経営権に対して影響力を及ぼすレベルの買収は、ますます盛んになると思われます。

なにしろ、当の首相が「日本を買って甘い汁を吸ってください！」「あなた方が利益を得て、我々日本人は貧乏なままでかまいません！」と笑顔で演説してしまうのですから。

どうすれば、日本の企業を日本人のものとして守れるのでしょうか？

外資が爆買いした日本企業ランキング
――コロナ前と後の変化をどう読むか

2021年8月3日付の記事とやや古いのですが、ダイヤモンドオンラインに興味深い記事がありました。

「伊藤忠、ソフトバンク……コロナ前後に外資が爆買いした日本企業ランキング40社【米国編】」という記事です。コロナ前と後に分けて、どのような企業がアメリカの投資家に買収されたのかを分析しています。

まず、前提となっているのが、日本企業が株価×為替で考えると激安だという事実です。

PBR（株価純資産倍率：Price Book-value Ratio）という指標があります。これは、会社の資産に対して株価が適当な水準であるのかを表すもので、株価を1株あたりの純資産額（BPS：Book-value Per Share）で割って求めます。PBRが1倍であれば、その段階で会社が解散した場合、理論的には株主に投資額がそのまま（1体1で）戻ってくることになります。PBRが1倍を下回っている場合は、その会社は割安だと見なされます。

この記事が書かれた2021年の3月末の時点で、日本国内でPBRが1倍を下回っている企業は1706社もあり、全上場企業に占める割合は42・9％もあったとのことです。同時期の米国企業では同じ指標が7・0％。世界の主要市場である英国、シンガポール、香港はそれぞれ0・7～9・7％。韓国でも27・4％の水準にとどまっていたことを見れば、日本企業がかつての企業価値を失ったというどころか、1人負けで不健全なほど超割安になっている状況がよくわかります。

投資家は、株式の保有比率が5％を超えた日から、原則として5営業日以内に報告書を提出する義務を負います。その報告書は大量保有報告書と呼ばれるのですが、ダイヤモンドオンライン編集部はその大量保有報告書を基に、2021年5月31日時点で時価総額100億円を超える上場企業2463社を対象とし、**コロナ前**（2017年7月～2019年12月）と、**コロナ後**（2020年1月～2021年6月）に分けてどのような銘柄が米国の投資機関・投資家に買われたのかを分析しました。

コロナ前に大量に株を買われた日本企業トップ10社は以下の通りです。

- リクルートHD
- キーエンス
- 信越化学工業
- 日本電産
- コーセー
- 東京エレクトロン
- キリンHD
- 久保田
- 第一三共
- 日本新薬

コロナ後に大量に株を買われた企業トップ10は以下の通りです。

・ソフトバンクグループ
・ソフトバンク
・伊藤忠商事
・KDDI
・オリンパス
・三菱商事
・三井物産レーザーテック
・ZHD
・住友商事

購入者は、上位からブラックロック、キャピタルグループなど、主にアメリカの投資ファンドが名を連ねていますが、興味深いのはコロナ後の期間では大手商社が4つも入っていることです。著名投資家のウォーレン・バフェット氏が、氏が保有するナショナル・

インデムニティー社を使って日本の大手商社の株を大量に買い付けていたことが浮き彫りになりました。これらの投資ファンドは、もちろん日本経済や日本国民の生活の向上を考えて投資しているのではなく、自分たちが徹底的に儲けるために買収しているわけですから、株主への配当（還元率）を極大化することを常に求めます。株主資本主義の権化《ごんげ》です。

「外資規制」をもう一段階強化できないのか？

総理が自ら自分の国を「買ってください」とセールスするような体たらくの日本ですが、すでに多くの優良企業が外資ファンドにどんどん買われていることは、お読みいただいたとおりです。

やられたい放題、買われ放題、奪われ放題の日本ですが、外資規制はどうなっているのでしょうか？

外資規制というのは、外国人や海外の企業による国内投資を制限するための政府の取り組みです。自国の重要な資源や資産、財産を他国に奪われないようにするため、各国は独自の外資規制を実施しています。

当然、資本主義経済ですから、外国からの投資を完全にストップするわけにはいきません。

本書は「シン・鎖国」を提案するものですが、もちろん、貿易や外資による投資や人的移動などをストップして閉じこもれというわけではありません。

安全保障と経済安全保障（自国経済の保護）、食料安全保障が確実にできるという条件付きで、外資規制は最小限でなければいけないのですが、その規制の規準や方法、視点を常にアップデートしておかないと、気づいた時には「日本がなくなっている」というほど危機が迫っているという認識を持つべきです。

日本の外資規制は、

①外為法（外国為替及び外国貿易法）関連

②個別業法関連

によって実施されてきました。

実は日本の外為法は2019年11月に改正（2020年施行）され、厳格化されています。

経済安全保障の専門家である平井宏治《ひらいこうじ》氏は、日本の経済政策や対中ビジネスにおける企業と国の脇の甘さに強い危機感を持ち、鋭い分析で警鐘を鳴らしていますが、この改正外為法に関しては、対中国を意識した国防権限法として最も基準の厳しいアメリカのFIRRM（外国投資リスク審査現代化法）に近づけた厳格なもので、久々のクリーンヒットだと評価しています。

とはいえ、独自に改正作業をしたのではなく、日本がアメリカから要請を受けて作ったものですが、まだ一部に中国の軍民融合政策に対応しきれていない部分が残されているようです。

①外為法による規制

改正外為法では、上場企業の14・6％にあたる518社がコア業種（重点企業）として指名されました。「コア業種」というのは、軍事利用が可能な軍民両用技術を持つ産業分野として該当する業種です。従来の外為法では、海外の投資家などが重点企業の株式を取得する際、持ち株比率で10％以上となる株式を購入する場合に限って事前届出が必要でしたが、改正によってこの基準が1％以上に変わりました。

国交のない北朝鮮やイラクなどからの投資は事前届出が必要ですが、アメリカやイギリスなどの同盟国や準同盟国、友好国からの投資は、事後報告で問題ありません。

ただし、「農林水産業・鉱業・石油業・皮革及び皮革製品製造業・航空運輸業・安全保障関連業種など」は、同盟国からの投資でも事前届出が必要となります。

また、ＯＥＣＤ（経済協力開発機構）は、「武器・航空機・原子力・宇宙開発・電気・ガス・熱供給・通信・放送・鉄道など」の業種は安全保障関連業種として自国での投資規制を認めており、日本政府は２００７年に「炭素繊維・チタン合金・光学レンズ」も独自に外資規制の対象に追加しています。

②個別業法による規制

個別の業界について規定した法律の枠内で外資を規制するもので、「鉱業法・日本電信電話株式会社法・電波法・放送法・船舶法・航空法・貨物利用運送事業法」が、それにあたります。ちなみに、鉱業法においては第17条で「鉱業権は日本国民か日本国法人しか取得できない」と定められていたり、電波法・放送法では、外国人の議決権割合が20％以上になっている企業は、無線局を開設できないと定めています。これに関しては数年前にフジテレビと東北新社の2社で、外国人による持ち株比率が20％を超えていて問題になったことがありました。

さきほど、アメリカのＦＩＲＲＭは外資規制として厳しいルールであると言いましたが、中国の「外商投資参入特別管理措置」という外資規制は、もっと厳しいようです。

世界各国は、中国による先端技術、機微技術の買い漁りや窃取に悩んでいます。そうした技術がすぐに中国の軍拡に利用され、日本に向けられているミサイルの誘導技術などにも転用されているのです。

中国の「国防動員法」は、外国資本を条件によって接収までできるという異常な法律ですし、「国家情報法」は、一定年齢の中国人は、男女とも、世界のどこにいてもスパイにならなければいけないという法律です。もちろん在日中国人も同様です。

中国は、国策として「中国製造２０２５」を謳っており、中国政府が主導して、ビジネス的にはあり得ないような法外な資金・人材を投入してでも世界の先進的技術を奪い取ると宣言しているわけです。民生技術と軍事技術との境界がひじょうに近接し、技術移転が起きやすい環境下で「軍民融合政策」に日本企業が絡めとられることによって、アメリカとのビジネスができなくなるなどの可能性も大いにあります。

中国に進出している日本企業には、1日も早い撤退をお勧めするしかありません。日本企業がこれ以上「利益」と「知財権」と「先端技術」を盗まれないよう、外資規制を常にアップデートし、国益を守るというのが政府の仕事であるはずですが、岸田政権は本当にこのことを理解していないのか、命令されるままに行動しているのか、自ら危険を呼び寄せようとしています。

これ以上日本を外国に盗ませないために、国民が目を光らせておかなければいけません。

「失われた30年」から回復するために知っておくべきこと

日本人の給与レベルはこの30年全く上がらなかったどころか、実質賃金では下がっています。統計によって差はありますが、1997を100とすると2016年時点で89・7ポイント。なんと、1割以上の減少です。ちなみに同期間のアメリカは115・3、スウェーデンは138・4ポイントでした。

国の名目GDP（自国通貨建て）の比較でも、30年前に比べて日本が1・2倍だったのに対し、アメリカが4・2倍、ドイツは2・9倍、ちょっと異常ですが中国は64・8倍に伸びていました。

なぜ、日本だけがこんなことになっているのか？　ここまでお読みいただけば、問題の基本構造はすでにはっきり見えているのではないでしょうか？

日本政府、いや財務省は、一般庶民や中小・零細企業の犠牲などは考慮せずに消費税率を上げ、バーターとして法人税等を減税したり、消費税を還付する仕組みで大企業を強力に支援してきたわけですが、その大企業のかなりの数が、すでに実質日本の企業ではなくなってきているのです。大株主が外資系ファンドになってしまっているという意味です。

特に、法人税等の減税は、会計上、当期純利益を増やします。

もちろん、株主配当は企業の経営環境を総合的に見て判断され、株主総会での承認を得なければいけないわけですが、企業の実質的オーナーである外資系ファンドが「当期利益を最大化するための経営判断をせよ」「設備投資より、株主への還元を優先せよ」と圧力をかけてきたら、経営者は、やはり従わざるを得ません。

経常利益は増えても、従業員の給与を増やせないわけです。

1997年、日本とアジアで大きな経済危機が発生しました。7月には米国の官民連合軍に仕掛けられた「アジア通貨危機」が始まり、日本では11月以降、証券会社と銀行の破綻が相次ぎ、金融市場が大混乱をきたします。ちょうどこの年の4月には、消費税増税が実施され、3％だった消費税が5％に引き上げられました。

バブル処理に際して不良債権が加速度的に膨らみ、金融危機が始まって、日本はついにデフレに突入していくことになります。

その後、グローバリズムの経済代表であるヘッジファンドが次々と襲い掛かってきて、日本の優良企業を買収したり、ファンドの日本法人を複数作って、外資規制に触れない範囲で実質的な最大株主になるというケースが増えてきます。

繰り返しになりますが、日本国民である社員（従業員）が一生懸命真面目に働いて企業のために貢献しても、そこで得られた利益が給与の増額として社員に還元されたり、企業の存続・発展のために必要な設備投資に使われたりすることはなく、剰余金の多くが外資系ファンドに株主配当として流出している仕組みを変えられない限り、日本人は今後もますます貧しくなります。これはまさに、ある種植民地のような構造であるともいえます。

GAFA《ガーファ》は日本で税金を払っていない

GAFAとは、言わずと知れた「グーグル、アップル、フェイスブック、アマゾン」のことです。これにネットフリックスを加え、FAANG《ファーング》と呼ぶ人もいるようです。

ほとんどの人がこれらグローバルに展開するアメリカ企業に毎日お世話になっているのではないでしょうか。あれだけ稼いでいるのだから利益も莫大で、納税額も凄いのだろうと思っている方が多いかもしれません。彼らが日本にほとんど税金を納めていないことは、案外知られていないようです。

タックス・ヘイブンという言葉を聞いたことがあるかと思います。

租税回避地、つまり税金が極端に安い国や地域のことです。誰もがすぐに思い浮かべるのは、数年前に「パナマ文書」等でも話題になったパナマや、ケイマン諸島、バミューダ諸島などかもしれませんが、アイスランドやシンガポール、ルクセンブルク、オランダ、スイス、アイルランド、香港などもそうです。グローバル企業が、こうしたところに本社や本拠地を置き、各国にある支社から利益を本社に吸い上げる形にしておけば、大幅に法人税を節税できます。

ヘッジファンドなどは、その多くがタックス・ヘイブンに本社を置いているようです。タックス・ヘイブンのほとんどは、お金の動きに関する情報を開示する各国同士の取り組みに参加していないため、資産隠しや犯罪によって得た利益が集まってきて、当然ながらマネーロンダリング（資金洗浄）にも利用されています。

実は、GAFAも、同じ手法で世界各国に支払うべき税金を大幅に節約しています。アマゾンの例をご紹介しましょう。原則、日本でビジネスをして収益を上げている会社は、日本で法人税を払わなくてはいけません。しかし、東京国税局は2009年に、適切に支払われていないとして、アマゾンに対して約140億円ほどの追徴課税処分を行ったのです。

アマゾンは、日本での販売業務を「アマゾンジャパン」と「アマゾンジャパン・ロジスティクス」の2社で主に行っているのですが、その2社はアマゾン本社から販売業務を委託されているだけで、会社の利益のほとんどはアメリカ本社に吸い上げられているため、日本法人はほとんど利益を出していない形になっているのです。

東京国税局の言い分に対して、アマゾンの日本法人は「本社はアメリカに納税しているから二重課税になる」と異議を訴え、日米の二国間で協議した結果、結局日本側が全面的に譲歩する形になったのです。

これには日本とアメリカとの間で結ばれている「租税条約」が深く関わっていて、条文上は平等なのだけれど、実際に運用される場合には両国間の協議でほぼ決められるため、力関係が反映されることになり、実質的には「不平等条約」だと言われています。

個別の契約条件にもよるので一概には言えないのですが、アメリカのMLBで活躍する日本人メジャーリーガーの大部分がアメリカで所得税を払っているのに対し、NPBに来ているアメリカ人選手のうち、日本で所得税を払う人はほとんどいないそうです。

アマゾンの場合、クレジットの決済機能をアイルランドのダブリンに置いたり、ヨーロッパでの収益はルクセンブルクで処理するような仕組みにしています。いずれもタックス・ヘイブンであり、ルクセンブルクなどは特にアマゾンに対しては優遇しています。当然、世界各国からは「税金を払ってくれ」と非難を浴びることになります。

それでも、グループ全体の納税額の半分は本社のあるアメリカに対して収めているため、合衆国政府は各国との二国間協議になった場合はアマゾンをバックアップして保護するというわけです。

GAFAによる節税で、世界各国は合計で24〜30兆円ほどの税金を失っているという見方もあります。ことアマゾンに関して言うと、書籍や物品の販売による利益より、AWS（アマゾン・ウェブ・サービス）というクラウド・コンピューティング・サービスの販売でケタ違いの利益を得ていて、物販は余業だという話もあります。顧客は国家そのものだったりするわけですから。

GAFAは、世界中でとてつもない量のビッグデータを取得しつづけており、データは日々蓄積されていきます。本当は、あなたのことを誰より詳しく知っているのは家族ではなく、GAFAなのかもしれません。

巨額な利益を上げていながら納税額が少ないというのは、GAFAだけに限った話ではありません。富裕層ほど税金を払わないで済むというのは、日本においても厳然たる事実で、その境目はだいたい年収1億円以上のところにあるようです。

日本の所得税法では、高額所得者の名目上の最高税率は50％ですが、有価証券配当所得に対しては驚くほどの優遇があり、どんなに収入があっても所得税、住民税を合わせて一律20％でいいということになっています（分離課税）。富裕層ほど、所得における配当収入の比率が高くなるので、どんどん優遇されていきます。

インボイス制度導入によって見込まれている税収増が年間2480億円しかないと聞く

と、日本政府は制度導入に伴って職を失う人、廃業を考える人、実質収入を減らして苦境に陥る人への想像力などまるでないのだと思わざるを得ません。

正社員を増やし、給与レベルを上げ、結婚率を上げないと少子化は解消しない

少子化の原因は明確です。日本人の給料が上がらないということが、その原因です。そして、給料が上がらない理由は前項とも関連するのですが、消費税にあります。

消費税は、前述のとおり事業が赤字であっても払わなくてはならない過酷な税金ですが、その理由は、利益+固定費=経費としての人件費までが課税対象となるからでした。であれば企業としては当然、人件費を削減して税負担を下げようとします。

具体的には、正社員の雇用を減らして、派遣社員やパート・アルバイトを増やす行動に出るわけです。

派遣社員に切り替えるということは、雇用関係のない派遣会社からの調達になりますから、固定費ではなく派遣会社に対して消費税を払う変動費となり、消費税の課税対象から

外れるので大幅な節税になります。この結果、派遣労働者の割合が急増したわけです。

しかし、当然ながら派遣労働は不安定な立場ですし、人材派遣会社が手数料を取るわけですから、派遣労働者の給与水準は非常に低くなり、45歳から49歳では正社員と派遣社員の給与差が倍以上になるとも言われています。

これでは未婚率が高まって少子化が進むというのは当然です。

生涯未婚率という指標があります。50歳時点での未婚の割合を計算したものです。50歳で未婚の人のほとんどは生涯独身である確率が高いという「前提」で考えられています。

2023年時点での生涯未婚率は、男性が3割弱、女性が2割弱であると複数の企業や個人が試算しています。男性の3割が結婚しない社会とは、恐ろしい社会ではないでしょうか？

結婚しない人が子供を作る確率は低いですし、結婚しても子供を作らない夫婦もありますから、生涯子どもを作らない人の割合は、生涯未婚率を上回ることになります。

少子化の原因は、日本人が結婚しなくなったことにあり、結婚しなくなった理由は正規職員・従業員になる率が低下しているからであり、年収が下がっているからだという明確なデータを、内閣官房のサイトで見ることができます。

2023年6月に閣議決定された「子ども未来戦略方針」がそれです。若い世代の結婚観や出産についての意識や雇用形態などについてのデータが示されているのでご紹介しましょう。

若い世代（18～34歳の未婚者）の結婚意思については、依然として男女の8割以上が「いずれ結婚するつもり」と考えているものの、近年、「一生結婚するつもりはない」とする者の割合が増加傾向となっている。

さらに、未婚者の希望するこども数については、夫婦の平均理想こども数（2・25人）と比べて低水準であることに加えて、その減少傾向が続いており、直近では男性で1・82人、女性で1・79人と特に女性で大きく減少し、初めて2人を下回った。

また、雇用形態別に有配偶率を見ると、男性の正規職員・従業員の場合の有配偶率は25～29歳で30・5％、30～34歳で59・0％であるのに対し、非正規の職員・従業員の場合はそれぞれ12・5％、22・3％となっており、さらに、非正規のうちパート・アルバイトでは、それぞれ8・4％、15・7％にまで低下するなど、雇用形態の違いによる有配偶率の差が大きいことが分かる。

また、年収別に見ると、いずれの年齢層でも一定水準までは年収が高い人ほど配偶者のいる割合が高い傾向にある。（中略）

「自国はこどもを生み育てやすい国だと思うか」との問いに対し、スウェーデン、フランス及びドイツでは、いずれも約8割以上が「そう思う」と回答しているのに対し、日本では約6割が「そう思わない」と回答している。また、「日本の社会が結婚、妊娠、こども・子育てに温かい社会の実現に向かっているか」との問いに対し、約7割が「そう思わない」と回答している。

これらのデータの出所に関する調査対象と方法は書かれていないのですが、肝心の少子化対策を具体化する財源については、「増税はせず、徹底した歳出改革や構造的賃上げ・投資促進の取り組みを複数年にわたって先行させる」など、お題目ばかりで何も書かれていないのと同じで、拍子抜けしました。

２０２８年度までに安定財源を確保するのが目標で、「それまでの間に財源不足が生じないよう、必要に応じ、つなぎとして、こども特例公債（こども金庫が発行する特会債）を発行する」と、「方針」には書かれていますが、メディアに出てくる情報は「社会保険料に、『子育てへの新たな支援金』として上乗せして確保する方向で調整を進めている」というものでした。

社会保険料の増額というのは、実質増税です。国会でろくに審議さえせずに自動的に上乗せされるだけに、ある意味消費増税より危険だとも言えます。

ことほど左様に、岸田政権と今の官僚たちは筋が悪いのです。

少子化対策の答えはすでに明確に出ています。日本の若者たちも8割以上は「いずれ結婚したい」と思っているのです。ただし必要条件は、一定以上の安定した収入が確保できる正規雇用の職員・従業員になることなので、経済を活性化させ、企業に対して非正規雇用を正規雇用に転換するよう促す税制を含めた制度改革を進めることこそが王道なのではないでしょうか。国民一人当たりGDPが世界トップレベルに再浮上するような流れになれば、希望に満ちて結婚する人は増え、出生数も必ず上昇します。

少子化対策の財源として社会保険料を上げるなどというのは、それと完全に逆行した悪手ですから、ますます国民の絶望感は増して少子化はむしろ加速するでしょう。

消費税廃止に向けて、段階的に減税を開始すべし

日本経済を長期にわたり低迷させている最大の元凶は消費税だという話をしてきました。消費税は、短期的な消費意欲を抑制するのみならず、日本人の貧困化と人口減少を進行させる原因であり、自滅の罠だったのです。

これではいくら金融緩和を行っても、景気が回復しないわけです。

消費税は減税し、究極的には廃止するべきでしょう。

国民から無理やり税金をむしり取るのではなく、景気を良くし、ＧＤＰを拡大することで税収を増やすことを目指すべきです。２０２３年度は過去最大の税収が上がっているはずですが、財務省にまかせておけば自動的に国債償還費に回されて終わりです。

財務省は恐ろしい役所で、消費税こそが日本経済を浮上させない根本要因であるとわかっているにもかかわらず、真逆の政策を取り、２０２３年10月からインボイス制度を導入してしまいました。これもまぎれもない実質的増税です。しかも、弱い者いじめであるばかりか、政府が予想している税収増はわずか２４８０億円程度だといいます。

インボイス制度は、これまで消費税納入を免除されてきた年商１０００万円以下の小規

模事業者や個人事業主は、消費者からの預かり金である消費税をポケットに入れていた（益税にする）わけで、けしからんという発想です。

しかし、前述したように財務省の前身である大蔵省は、消費税は間接税ではなく、付加価値に課税するものであり、また消費税は預かり金ではなく、価格の一部だと明言し、裁判で勝訴しています。

また、法的には消費税は間接税と定義されていません。そうであれば、年商1000万円以下の事業者への免税は益税（ピンハネ）ではなく、単に〝免税点を1000万円としている〟と解釈できます。これは、二つの裁判の判決で確定していることです。

それにもかかわらず、インボイス制度をこのまま導入すれば、増税分を自分が泣く形で負担することによって収入減になったり、値下げを強いられたり、廃業を選択する小規模事業者・個人事業主が続出するはずです。その動きはすでに始まってしまっています。

苦しみ続けている日本経済から、さらに活力を奪って縮小させる結果になりかねません。

これほどの悪政、愚策を連発しているというのに、困ったことに政府は自らの過ちを省みようともしません。鏡をよく見るべきだと思います。

しかし、この政権を選んでいるのは日本国民です。政治に無関心であったり、政治家や官僚へのチェックを怠って任せきりでいると、とんでもないことになるのです。比喩でなく、国を滅ぼしかねません。

日本はグローバル化に適応できなかっただけではなく、制度的に自滅しているのです。日本政府は自ら人口を減少させる政策を取りながら、減少分を外国人の移民で手っ取り早く補おうとしています。実に愚かな所業です。

取り返しのつかないことになる前に、我々有権者が立ち上がってこの流れを止めなければ、遠からず日本は、三流国家に転落し、やがて日本人の国ですらなくなってしまうでしょう。

2 幼稚すぎる日本の危機管理意識

米・国防総省が防衛省への不信感表明のために、あえてリーク？

2023年8月7日、米国の主要紙であるワシントンポストに、非常に気になる記事が掲載されました。その冒頭部分は以下のようなものでした。

＊＊＊

中国が日本の防衛機密ネットワークをハッキングしたと当局者が発表

東京は大規模なサイバーセキュリティ侵害の後、防衛を強化してきたが、依然としてギャップが残っており、国防総省との情報共有を遅らせる可能性がある。

2020年秋、NSA（National Security Agency：アメリカ国家安全保障局）は驚くべき発見をした。中国の軍事ハッカーが、東アジアにおける米国の最も重要な戦略的同盟国の機密防衛ネットワークに侵入していたのだ。

ハッカーたちは深く執拗にアクセスし、計画や能力、軍事的欠点の評価など、手に入れられるものは何でも狙っていたようだと、日米の現役・元政府高官12人のうち、3人の元上院米政府高官が機密事項のため匿名を条件に取材に応じた。

「衝撃的なほどひどかった」と、この出来事について説明を受けたある元米軍関係者は振り返った。

東京はネットワークを強化するための措置を講じている。しかし、北京の覗き見に対する安全性はまだ十分ではないと考えられており、国防総省と日本の防衛省の間の情報共有に支障をきたす可能性があると関係者は指摘している。

NSAと米サイバー軍のトップであるポール・ナカソネ大将と、当時ホワイトハウスの国家安全保障副顧問だったマシュー・ポッティンジャー氏が東京に駆けつけた。

彼らは防衛大臣を呼びつけたが、防衛大臣はひどく心配して、首相自身に直接警告するよう手配した。

彼らは、北京が東京の防衛ネットワークに侵入し、日本の近代史において最も有害なハッキングのひとつになったと日本の当局者に伝えた。日本人は驚いたが、調査することを示唆した。ナカソネとポッティンジャーは、自分たちの主張が正しく伝わったと思って帰国したと、この件に詳しい元国防高官は語った。

ワシントンでは、ドナルド・トランプ大統領（当時）はジョー・バイデン氏の当選に異議を唱えるのに忙しく、政権高官たちは政権交代の準備をしていた。次期国家安全保障顧問のジェイク・サリバン氏に対し、国家安全保障の高官たちが引き継ぎ期間中にブリーフィングを行ったが、バイデン次期政権は、トランプ政権時代に発覚したロシアによる米政府機関のネットワークへの大規模な侵入にどう対処するかなど、さまざまな問題を抱えていた。

米国政府関係者の中には、日本側はこの問題が風化することを望んでいるだけだと感じている者もいた。

バイデン政権は2021年初頭には落ち着き、サイバーセキュリティと国防の関係者は問題が悪化していることに気づいた。中国はまだ東京のネットワークに入り込んでいたのだ。

それ以来、日本はアメリカの監視下に置かれながら、ネットワーク・セキュリティを強化し、今後5年間でサイバーセキュリティ予算を10倍に増やし、軍のサイバーセキュリティ部隊を4倍の4000人に増やすと発表した。

＊＊＊

このワシントンポストの記事に対する質問を受けて、浜田靖一《はまだやすかず》防衛大臣（当時）は「サイバー攻撃により、防衛省が保有する秘密情報が漏洩したとの事実は確認しておりません」と否定しました。

これはいささか奇妙な話です。

ワシントンポストが報道した記事は、2020年秋の大規模なハッキング事件に関して、アメリカ側から日本政府に直接厳重注意を促したのに、その後も十分に改善されていなかったことにいら立ちを覚えているという趣旨でした。米国サイバー軍のトップが重大なハッキングについて指摘した後も、日本側の対策が十分になされなかったことへの批判と不満が大きく、意図的に一般紙にリークしたのかと疑いたくもなります。

この記事がワシントンポストに掲載されたことにも留意する必要があります。タブロイド紙ではなく、アメリカのエスタブリッシュメントが必ずといっていいほど目を通す新聞です。極左化しているワシントンポストの情報の公正性に対する信頼は揺らいでいるとはいうものの、国防総省がらみの記事でいい加減な事実関係を記載するとは思えません。なぜ2023年になって2020年当時の事件をあえて記事化したのか？　誰に、どのようなメッセージを伝えるためなのか、考えてみる必要がありそうです。

記事にあるとおり、NSAと米サイバー軍のトップであるポール・ナカソネ大将と、当時ホワイトハウスの国家安全保障副顧問だったマシュー・ポッティンジャー氏が東京に駆けつけたのが事実だとすれば、事態は相当深刻であったことが伺われます。

「2020年秋」と、日時は明示されていませんが、菅内閣の発足は9月16日ですから、日本側は河野太郎《こうのたろう》防衛大臣と安倍晋三《あべしんぞう》首相、あるいは岸信夫《きしのぶお》防衛大臣と菅義偉《すがよしひで》首相のいずれかです。当時の防衛大臣が、首相に直接警告するように手配したのなら、浜田靖一《はまだやすかず》防衛大臣のコメントは〝完全な嘘〟ということになります。

つまり、日本政府（防衛省）は厳重に注意されたにも拘らず、ただ事件の風化を望むような態度を取り、中国にハッキングされ続けていたということです。責任を明確化せずに先送りしていたのか、それとも何か別の意図があって放置したのか？　謎です。

２０２１年にバイデン政権に移行し、なお「日本の対処が不十分」であることが明確になり、アメリカの監視下でサイバーセキュリティ対策の大幅な強化を始めたとのこと。

この一連の動きはトップシークレットだったはずです。しかし、２０２３年になって改めてこのようなリーク記事が出てきたということは、日本側の対応が依然として不十分であり、アメリカ側が相当苛立っていることを伝えようとしていると思われます。

私はこの件について、３人の専門家に意見を求めました。

まず、公安関係者はこう教えてくれました。

「中国のハッキングは凄まじく、調べ上げた実在の人物と部署を装ってメールを送ってきます。例えば、人事部に実在する人間からメールが来たら、つい開けてしまいます。それでやられてしまうのです」

一方、自衛隊ＯＢと民間のサイバーセキュリティ専門家は「防衛省の重要機密はインターネットに接続していないので、外部からのハッキングで盗むことはできない」と異口同音に語りました。

しかし、ワシントンポストに掲載された記事がもしデタラメならば、国防総省なり防衛省から苦情が行くはずですが、日米のどちらからもそのような動きはありません。もし、重要機密がネットアクセスなしで盗まれたのだとしたら？　それは、防衛省内部に中国のスパイが入り込んでいることを意味するのではないでしょうか。

産総研《さんそうけん》の主任研究員が堂々たる「中国・国防七校」のスパイだった衝撃

産総研（産業技術総合研究所、茨城県つくば市など）のことはご存じでしょうか？87ある独立行政法人の中でわずか3組織しかない特定国立研究開発法人であり、約2300名の研究者を擁し、外部人材も4000名を数えるなど、国内最大級の研究機関です。すでに100年以上の歴史を持ち、先行技術（知財）の保有数を示すランキングにおいても日本で1位、経産省所管のこの組織をめぐる衝撃的なニュースが、2023年6月に報道されました。

産総研で主任研究員を務める中国籍の権恒道《チュエンホンダオ》容疑者（59）が、警視庁公安部によって、不正競争防止法違反（営業秘密の開示）で逮捕されたのです。

容疑は、２０１８年4月13日、容疑者自身が研究している「フッ素化合物の合成技術」に関する情報を中国の民間企業にメールで漏洩《ろうえい》した疑いです。

逮捕された権容疑者は、中国人民解放軍の兵器開発と深い関連がある「国防七校」の一つである南京理工大学の出身であったほか、産業技術総合研究所在職中だった２００２年に、やはり「国防七校」の一つである北京理工大学の教授を兼任していた時期があり、中国政府が海外の優秀な人材を自国に呼び込む「千人計画」にも参加していたとみられています。

フッ素化学製品製造会社「陝西《せんせい》神光化学工業有限公司」の会長をはじめ、計10社の中国企業の役員に就いていたこともわかりました。情報の漏洩先の民間企業というのは、自らが会長を務めるこのフッ素製造会社の関連会社で、なんと漏洩の約1週間後にはフッ素化合物に関する技術特許を申請し、２０２０年6月には取得していました。

産総研の規定では、研究員が企業の役員などを務める場合、事前に申請して許可を得る必要があるのですが、いずれも「兼業許可」を得ておらず、産総研の内部管理の甘さが指摘されています。

国防7校は、中国の国務院に属する国防科技工業局によって直接管理されている大学であり、中国人民解放軍とともに先端兵器等の開発を行っています。米国をはじめとする海外で技術窃取に深く関与した事例が見られ、その危険性は周知の事実でした。

それにもかかわらず、産業技術総合研究所は何の対策も取らず、2018年に犯行が行われてから2022年までの4年間、全く気が付かなかったとのことです。

日本トップレベルの研究機関である産総研は、2018年に大規模なサイバー攻撃を継続的に受け、研究が全面的に支障をきたしていたこともありました。

盗まれた技術を取り戻すことは不可能で、とっくに中国で実用化されているでしょう。しかも特許まで先行取得されているのです。盗人に追い銭とでも言うべきでしょうか？

同容疑者は20年間も産総研に勤務していたわけですから、他の機密情報を窃取していた可能性も否定できません。

これと同じようなことが防衛省でも発生していた可能性はないのでしょうか？

自民党の麻生太郎《あそうたろう》副総裁は、2023年8月8日、訪問先の台湾で講演し、「今ほど日本、台湾、米国などの有志国に強い抑止力を機能させる覚悟が求められている時代はない」と力説し、「戦う覚悟を表明した」と言われています。

この勇ましい発言に、保守派の一部からは称賛の声が上がりましたが、実際のところ、日本には戦う覚悟どころか、その能力があるのかどうか疑わしいように思われます。戦わずして、既に完敗している可能性はないでしょうか？

日本の無能力と隠蔽主義に対するアメリカの苛立ちを示唆したワシントンポストの記事を軽く見るべきではないでしょう。

本当に戦う意思を示すならば、可及的速やかにセキュリティクリアランスの制度化をすすめることはもちろん、スパイ防止法の迅速な立法化に全力を尽くすべきです。

どんな勇ましいスピーチも実態が伴わなければ口舌《こうぜつ》の徒《と》に過ぎません。黙々と必要なことに取り組む姿勢を見せることこそが、真の抑止力に繋がるのです。

3 「人口削減」のためのウィルスとワクチン

1973年公開の映画「ソイレントグリーン」が描いていた悪夢の世界

古い映画の話をします。今日の世界を予言しているようだからです。

ちょうど50年前の1973年に公開された「ソイレントグリーン」というディストピアSF映画の話です。監督はリチャード・フライシャー。原作は1966年発表のハリイ・ハリスンの小説『人間がいっぱい(Make Room! Make Room!)』で、人口爆発によって荒廃し、貧富の差が極端に広がった暗黒の未来を描いています。

主演はチャールトン・ヘストン。言うまでもなく、「ベン・ハー」や「十戒」、「猿の惑星」などで知られる超有名俳優です。刑事のソーンを演じます。相棒の老人ソル役を演じたのは名優エドワード・G・ロビンソンですが、映画の公開直前に亡くなっています。

小説の設定では1999年でしたが、映画では2022年のニューヨーク・マンハッタンが舞台になっています。

少し長いですが、あらすじをご紹介します。完全ネタバレなので、これから映画を観ようと思っている方はご容赦ください。

2022年、地球は環境破壊が進んで荒廃し、人口爆発によってとてつもない食料危機にあえいでいました。ニューヨークの人口は4000万人に膨れ上がっていて、貧富の差は拡大し、半分は失業者でした。荒れ果てた街には貧民が溢れ返り、階段も人を踏まずに登れない有様です。

人々は、政府と提携するソイレント社が植物性成分から製造するビスケットのような合成食料の配給だけで、辛うじて命を繋いでいました。

州知事は、ソイレント社が海中のプランクトンから作った新しい合成食品、ソイレントグリーンを週に1回配給すると発表します。

野菜や肉などの普通の食料も存在するのですが、極端に裕福な特権階級だけが口にできるもので、庶民は生まれてから一度も肉や野菜を見たことすらありません。そして字を読めるのは一部のエリートと老人だけで、ほとんどの人は文盲なのです。

女性の社会的地位は低下しており、エリートだけが住む高級アパートに、備え付けの家具《ファニチャー》のひとつとして若い女性が配置されていました。

ある日、そんな高級アパートの住人である富豪の弁護士が何者かに殺害されました。捜査のため現場に駆け付けたのが、主役の刑事・ソーン（チャールトン・ヘストン）でした。ソーンは、高級アパートの冷蔵庫で見つけた本物の肉や果物や酒、そして1冊の本をくすねて家に持ち帰ります。

家には、ソル（エドワード・G・ロビンソン）という老人が同居していました。

ソルは元大学教授でしたが、今は文字の読めないソーンのために捜査資料を読み、記憶する「本《ブック》」として相棒の役割をしていました。ソルは、ソーンが持ち帰った本物の食べ物に狂喜しながら、自然が豊かで、肉や野菜が普通に買えた時代を懐かしむのでした。

ソーンは、弁護士の殺人はただの強盗事件ではなく、ソイレント社と関係しているのではないかと疑います。弁護士はソイレント社の役員で、知事とは友人でした。

生前の弁護士から重大な告白を受けたらしい教会の神父も暗殺され、ソーンはソイレント社による暗殺を確信していきます。

新製品のソイレントグリーンの配給日、広場は配給を待つ貧しい人々で溢れ返っています。ソーンも応援警備に駆り出されますが、輸送の不備で十分な量のソイレントグリーンが届かず、怒った民衆たちによる暴動が発生します。政府はスクーパーと呼ばれる巨大な荷台付きシャベルカーのような車両を投入し、人々をゴミのように片っ端から掬《すく》い上げて排除します。死んでしまってもまったく気にしません。

その混乱の最中、ソーンは何者かから銃撃を受けて足を負傷します。ソイレント社から命を狙われていたのです。

一方、ソルはソーンが弁護士の部屋から持ち帰った本（ソイレント社の海洋報告書）を手に、他の「本《ブック》」である老知識人たちが集う場に赴いて内容の解析をし、ソイレント社についての恐るべき真実を知ります。

ソルはその足で「ホーム」と呼ばれる、公営の安楽死センターに向かいます。真実を知って絶望したソルは、苦しみから逃れるために安楽死を選択したのでした。

ホームの職員に丁寧に招き入れられたソルがベッドに横たわると、部屋は彼の希望したオレンジ色の照明で染まります。ベートーヴェンの交響曲第6番「田園」が流れる中、前方に大きなスクリーンが現れると、かつて地球上に存在した美しい大自然や、生き生きと躍動する動物のシーンが走馬灯のように映し出され、やがてソルの顔には穏やかな笑みが浮かびます。安楽死のセレモニーなのでした。

そこに足を引きずりながらソーンが駆け込んできて、セレモニー中のソルと短い会話を交わします。ソルは、ソイレント社について何事かを話すと、静かに息を引き取ります。

ソーンはソルの遺体搬送を追跡し、遺体収集車のひとつに飛び乗ります。夥《おびただ》しい数の死体が集積所に集められ、巨大な工場に運び込まれて行きます。工場はソイレント社のもので、そこに忍び込んだソーンが見たものは、人間の遺体からソイレントグリーンを精製するプロセスでした。新製品ソイレントグリーンの原材料は、プランクトンではなく、人間の死体だったのです。

人肉処理工場から逃亡したソーンは追跡され、銃撃戦になりますが、やがて駆け付けた上司の警察署長によって助け出されます。

担架に乗せられたソーンは、流血した手を空中にかざしながら、こう叫びます。

「ソイレントグリーンは人肉なんだ！（Soylent Green is people!）」

1972年・ローマクラブが発表した「成長の限界」とは

映画で描かれていた2022年と現実の2022年を比較してみましょう。映画のニューヨークは人口4000万人だったのに対し、現在は800万人ですから、現実は5分の1ですが、原作の小説では、1999年時点で世界人口70億人を予想していたのに対し、国連の発表によると2000年時点で61・44億人、2022年11月には80億人を超えたとのことです。21世紀に入ってから約20億人増加というペースは、たしかにハイペースです。

地球上の資源は有限であって、食料生産は算術級数的にしか増やせないが、人口は等比級数的（ネズミ算）に増加するので、人口爆発によって飢餓、貧困、戦争などが起こると説いた英国の経済学者、マルサスの『人口論』を絶対的な真理と信じてきた世界のエリート層にとって、人口爆発の問題は常に最大の懸念材料でした。

映画製作中だった1972年は、民間シンクタンクであるローマクラブ（本部はスイス）がちょうど最初の報告書を発表した年です。その報告書は『成長の限界』と名づけられ、世界的で大きな注目を浴びました。

ローマクラブとは、世界各国の元国家元首、外交官、経済人、自然科学者、社会科学者などが集まり、1968年4月に立ち上げた団体で、最初の会合をローマで開いたことからこの名称になりました。

創設者で初代会長のアウレリオ・ペッチェイはイタリアのオリベッティ社の副会長でしたが、人口増加に食料の増産が追い付かず、世界は壊滅的な危機を迎えるという強い問題意識を持っていました。ちょうど、ナイジェリア内戦（ビアフラ戦争：1967年～1970年）が起きて、餓死を待つばかりのビアフラの子どもたちの写真がたくさん報道され、世界中が心を痛めていた時期でもありました。

ペッチェイが、スコットランド人科学者で政府の政策アドバイザーでもあったアレキサンダー・キングら賛同者とともに、資源枯渇、人口爆発、軍拡競争、経済問題、環境破壊など、全地球的な問題に対処するために設立したのがローマクラブでした。

『成長の限界』は、「人口増加や環境汚染などの現在の傾向が続けば、100年以内に地球上の成長は限界に達する」と警鐘を鳴らしています。これは、もちろん先述したマルサスの理論に基づいています。

ローマクラブではこの論理的帰結を数値を用いて客観的に証明するために、マサチューセッツ工科大学のデニス・メドウズを主査とする国際チームに委託してレポートをまとめました。実際には、化学肥料の登場でマルサスの時代よりも食料生産能力は飛躍的に向上したのですが、この根源的問題意識はローマクラブに留まらず、ロックフェラー財団や、1971年に設立された世界経済フォーラム（ダボス会議）にも強く共有されています。

1970年代初頭は、世界各地で工業生産などに起因する大気汚染や水質汚染などの「公害」や環境破壊が激しく、社会問題ともなっていた時代だったので「ソイレントグリーン」のようなディストピア映画が作られたのは、そのような時代背景が影響していたとも言えます。

そして、同じ問題意識は今日も確実にエリート層に引き継がれているわけですが、一部では「過激な環境主義派」を誕生させ、莫大な利権を生む結果にもなっています。

「ソイレントグリーン」とコオロギ食

今日のニューヨークは映画のように人で溢れてはいませんが、その荒涼とした風景と、ボロボロになって彷徨《さまよ》う人々の群れや暴動は、今日のニューヨークのみならず、フィラデルフィアやシカゴ、サンフランシスコ、ロスアンゼルスなどの光景を想起させます。アメリカの大都市（特に民主党が支配する州の都市）は、近年急速に荒廃しました。ネット上で検索すると、目を覆いたくなるような各地の惨状が動画で見られます。アメリカの大手メディアから放送されることは絶対にないでしょうが。

また、バイデン政権によって意図的に開放された南北の国境からなだれ込む何十万、何百万という不法移民がアメリカの都市の風景を永遠に変えようとしています。その意味で、現在のアメリカの大都市は、ソイレントグリーンのニューヨークに急速に近づきつつあるのかもしれません。

少数の特権的支配層である富裕層と、大多数の貧民層とに分かれ、中間層が存在しないのも今日との類似点です。

映画に登場する殺された弁護士の高級アパートには、超高級品となっている野菜や果物、肉類に酒類と何でも揃っていますが、庶民は生まれてから見たこともないのです。刑事のソーンは高級アパートで熱いお湯のシャワーを初めて浴びますが、それまで本物の野菜も果物も肉も食べたことがなかったのです。

残念ながら、今日の世界も、その方向に向かって誘導されています。スイスのダボスで開かれる会議に出席するグローバル・エリートたちは、世界中から自家用ジェットで乗り込み、高級ステーキに高級ワインで舌鼓を打ちながら、会議では「牛のゲップは温室効果ガスだから、牛を処分して農業もやめなさい」、「持続可能性のために、人造肉や昆虫を食べるようにしなさい」と臆面もなく言うのです。

牧畜は広大な土地と飼料などの資源を必要とし、牛のゲップが地球温暖化の原因になるので、牧畜を廃止して、昆虫を養殖する工場を建てるといいます。ビル・ゲイツはアメリカ各州で広大な農地を買い占めていて、すでに最大の農場主ですが、全て電子化・機械化された工場農場にしていく計画を立てています。

食料による支配は、人を管理するうえで武器以上に強力です。

二酸化炭素排出を問題にする会議に出席するために自家用ジェットで飛び回る矛盾を指摘されると、ビル・ゲイツは顔色を変えて「自分はその何倍も環境保護に貢献している」と忌々《いまいま》しそうに答えました。

昆虫食は世界中で急速に推進されています。

数年前に、ハリウッド女優のアンジェリーナ・ジョリーがタランチュラをむしってかじり、ミミズヌードルをすする動画が公開されました。

さまざまな国で、コオロギの粉末がパンやスナックに混入され始めました。日本でも徳島大学がコオロギの食用化研究に取り組み、大学発のベンチャー企業を通じてさまざまな企業に提供されるようになり、学校の給食にまで登場しました。

国が補助金を付けて奨励するので、飛びつく企業が続出します。

パン大手のパスコ（敷島パン）が一部の製品にコオロギ粉を混ぜたことが大きな話題になりました。良品計画でも日常的にコオロギせんべいなどの商品を扱っています。昆虫食は経産省が進めるムーンショット計画にも含まれているので、国が肝いりで昆虫食を推進していることになります。

さしずめ、今日の昆虫食がソイレントグリーンに相当することになるのでしょう。

私がこの動きの危険性を指摘すると、ある社会的地位の高い方から次のように言われました。

「山岡さん、昔は日本人もイナゴや蜂の子を食べてたんですよ。山岡さんも食わず嫌いしないで、食べてみたらいかがですか？」

私はこう答えました。

「先生、それぞれの土地に伝わる伝統的な昆虫食を見直そうという話ではないのです。なぜかグローバルでコオロギに決め打ちして、しかも、それをパウダーにしてあらゆる物に混ぜようというのです。これは特定の政治的意図をもって実行されている政策だと考えざるを得ません。日本人がイナゴを食べたのは、イナゴがイネだけを食べる昆虫で、経験的に安全だとわかっているからで、コオロギはそうではないから避けてきたわけでしょう」

昆虫食は、人肉を原料とするソイレントグリーンよりマシでしょうか？

数ある昆虫の中から選ばれたコオロギは、雑食で共食いをする性質があります。そこで、わざわざ遺伝子操作を加えるというのです。古くから漢方では「コオロギには微毒があり、流産する傾向があるので妊婦には禁忌」と言われてきたそうです。

また、腹部には高熱で調理しても死なない大量の細菌が存在するという説もあり、確実なところでは、甲殻類アレルギーを発症する可能性があるそうです。

コオロギ食研究の最先端である徳島大学では、なんとわざわざコオロギを使って経口タイプのコロナワクチンを開発するというのだから驚きです。

さまざまなメディアが、一斉にコオロギや昆虫食を取り上げ出したことに驚いた人も多かったでしょう。その理由は、首都圏から地方まで、日本中のほとんど全てのメディアが国際連合広報センターと契約しており、国連のアジェンダを拡散する役割を負っているからです。与えられた情報を取捨選択することなく、垂れ流す仕組みのようにも見えます。ビル・ゲイツや世界経済フォーラムのアジェンダを、国連が広報役として推し進めているわけです。国連は戦勝国そのものだったのですが、今やグローバリストのフロント機関に過ぎません。

食に関して言うと、不思議なことに世界各地で大規模な養鶏場や養豚場が炎上したり、食料工場が爆発したり、鳥インフルエンザが大流行して鶏が大量に処分されたりということがほぼ同時に発生し、これまで安定していた卵の値段まで急速に上がり出しました。

食品全般が例外なく値上がりとなり、このままではこれまで普通に食べていた食材が食べられなくなり、代用品を食べざるを得ない日が遠からず訪れるかもしれません。

コオロギは、本当に単なる代用品なのでしょうか？　それとも、やはりソイレントグリーンのように公開されていない秘密があったりするのでしょうか？

情け深い独裁者が平和的に平等に人口を削減するのが望ましい？

成長の限界はマサチューセッツ工科大学のデニス・メドウズを主査とする国際チームに委託され作成されたことは先に述べました。

そのメドウズは今もなお健在で、ローマクラブの名誉会員であり、世界経済フォーラムのメンバーでもあります。そして、最近のインタビューでは、メドウズが全く考えを変えていないばかりか、地球上の人口を大幅に削減しなくてはならないとまで主張していることがわかりました。

2017年のインタビューの中でメドウズは、「人々が自由と高い生活水準を保ちたいのであれば、地球人口は10億人に減らす必要がある」と言います。「人口の大幅な削減は、慈悲深い独裁者によって、ゆっくりと、可能な限り平等に実行されるべきで、そのためにはさまざまな形の革命が必要になる」とも主張しています。

映画「ソイレントグリーン」では、自発的な安楽死を奨励し、死体を処理して庶民向けの食料を作るという設定でしたが、人々を平等に間引きして行くことまでは描かれていませんでした。

しかし、メドウズは明らかに映画が描いた世界より先の話をしているようです。

やはり世界経済フォーラム（ＷＥＦ）のアドバイザーで、ダボス会議の常連であり、ヘブライ大学歴史学部の教授、そして『サピエンス全史』や『ホモ・デウス』の著者であるユヴァル・ノア・ハラリは、今日の世界において「大多数の国民は必要ない」と明言しています。ハラリによると、一般大衆の大半は今や「冗長」な存在となり、人工知能（ＡＩ）のような現代のテクノロジーが人々に取って代わることになると言います。

もちろん、かなり前からＡＩの発達によって、多くの仕事が人間の手から離れることが予想されていました。そこでの予想と問題意識は、人類が歴史上初めて労働から解放される時代が来る、そのような時代に人間はどう生きるべきか？　というものでした。

ところが、ローマクラブや世界経済フォーラムに代表されるエリートたちの頭の中にあるのはそうではなくて、どうやって余剰になった人類を間引きして適正人口に持っていくか、ということのようなのです。

これは陰謀論でも何でもなく、ビル・ゲイツやクラウス・シュワブやデニス・メドウズのような人たちの発想は、客観的にそういうものなのです。

２０１０年のＴＥＤコンファレンスで、ビル・ゲイツが「人口増加は深刻な問題であり、ワクチンで人口増加を10～15%抑制することができる」と発言したのはあまりにも有名です。ゲイツの発想の根幹を支えているのは優生学です。

彼らが人口削減のための具体的な方策を考え、実行しないと考えるのは無理があります。

全ては「イベント２０１」の想定通りに——「プランデミック」を振り返る

エリートたちが、常に最も重要だと考えているテーマが「人口削減」であるということを頭に入れたうえで、２０１９年から世界で何が起きたかを簡単に振り返ってみましょう。

２０１９年秋、香港では民主化を求めるデモが激化していました。

１９９７年に英国から中国に返還された香港は、50年間は一国二制度の下《もと》に現状を維持する約束でしたが、実際には中国流の言論思想統制が進められていきました。これに反発した市民がデモを開始し、当局と激しく対立していたのでした。

また、この当時、アメリカのトランプ政権は対中国の関税を大幅に引き上げ、経済を武器にした覇権主義を隠さない中国を追い詰めていました。

そのような2019年の11月18日、「イベント201」という、コロナウィルスのパンデミックが起きることを想定したシミュレーション演習がニューヨークで開催されました。主催者は、ジョンズ・ホプキンス健康安全保障センター、世界経済フォーラム、ビル&メリンダ・ゲイツ財団。そこで示されたシナリオは次のようなものでした。

- 「コウモリ→ブタ→人間」へと感染するSARSに似た新型ウィルスが発生する
- 医療現場で急速に感染が拡大する
- 航空機を使った人の移動で世界に拡散していく
- 初期には感染拡大を抑え込む国もあるが、やがてどの国も制御できなくなる
- パンデミックが始まって数カ月で感染者数は指数関数的に増加
- 死亡数が増加していくにつれ、経済をはじめ、社会システムが破壊される
- 18カ月で6500万人が死亡する
- 効果的なワクチンが登場するが、世界人口の80〜90%が感染する
- 最終的に新型ウィルスは風土病の一種のようになる

イベント201には、企業、政府、公衆衛生の分野に携わるリーダー15人がパネリストとして参加し、具体的な政策課題について議論しました。

主なメンバーには次のような人々がいました。

アニタ・シセロ：ジョンズ・ホプキンス健康安全保障センター副所長
エイドリアン・トーマス：ジョンソン&ジョンソン社副社長
ソフィア・ボルヘス：国連基金・上席副総裁
クリス・イライアス：ビル&メリンダ・ゲイツ財団世界発展プログラム責任者
アブリル・ヘインズ：バイデン政権の国家情報長官
ジェーン・ホルトン：アメリカ保健指標研究所、WHO理事長
スティーブン・レッド：アメリカ疾病予防管理センター副所長
ジョージ・ガオ：中国疾病予防管理センター所長
ハスティ・タギ：アメリカの放送局NBC

パネルディスカッションでは、パンデミックに関する偽情報や陰謀論がSNSで拡散さ

れると思われるので、厳しい情報統制を行う必要性が強調されました。

イベント201が開催された翌月、2019年の末に中国の武漢《ぶかん》で奇妙なウィルスの拡散が報告されます。当初、市当局は情報を隠蔽《いんぺい》しようとしますが、感染が瞬く間に広がり、上海や北京から調査に赴いた専門家チームが、新型のコロナウィルスが拡散していることを認めます。年が明けて2020年、急速な死亡者の拡大を受けて、1月23日に武漢市がロックダウンされます。そして2月には当局の発表前から感染拡大に警鐘を鳴らしていた武漢の眼科医、李文亮《りぶんりょう》氏が自らも感染して死去します。

李氏は2019年12月30日、複数のウィルス性肺炎の患者が出ていることをSNSのグループチャットに投稿したあと、「デマを流した」などとして警察に拘束されました。

勇気をもって事実を告発した李文亮氏の死は、中国国内のみならず、世界中に大きなショックを拡げました。

これが「陰謀」でなくて、何が陰謀か？

２０２０年の年初、中国から人が突然倒れて痙攣しながら亡くなる恐ろしい動画が次々と送られてきます。日本でもこんなことが起きるのかと怯えましたが、結局起こりませんでした。

また、新型コロナは早い段階で欧米諸国に深刻な被害を拡げます。まるで欧米人をターゲットにしていたかのように、次々と人が亡くなっていると報じられました。

なかでも、アメリカのニューヨークにあるエルムハースト病院からコーリン・スミスという女性がツイッターに投稿した動画は、世界に衝撃を与えました。

病院は患者で溢れ、院内の通路には袋に入れられた遺体が所狭しと置かれ、冷凍車が忙しく遺体を運び出していました。病院の外には、診察を求める人々の長い列ができていました。

恐ろしい光景にトランプ大統領も「こんな光景を見たことがない」とコメントしました。

しかし、この動画にショックを受けた人々が検証しようと現場に出向くと、全く状況が異なるのでした。病院内は閑散とし、外に行列もできていませんでした。

そして、コーリン・スミスという女性も実は当該病院の職員ではなく、民主党関係者であることがわかったのでした。

２０２０年1月30日、それまで中国政府の要請を受けて判断を遅らせていたＷＨＯが、緊急事態宣言を発令します。香港では屋外での集会禁止を口実に、盛り上がっていた民主化運動は徹底的に弾圧され、ついに鎮圧されてしまいます。

2月3日、今度は日本です。船内で感染者が広がったとされる大型客船ダイヤモンド・プリンセス号が横浜港《よこはま》に到着します。乗員乗客約４０００名のうち、約2割が感染者と言われ、最終的に14人が死亡しました。

このダイヤモンド・プリンセス号で注目が集まったのが、感染検査手段としての、ＰＣＲ検査でした。ＰＣＲと言えば、キャリー・マリス博士が開発し、ノーベル賞を受賞したＤＮＡ増幅法です。開発者のマリス博士自身が「感染症のスクリーニングに使ってはいけない」と明言していたにも拘らず、ＰＣＲ検査が新型コロナウィルス検出の唯一の手段として世界中に広がって行きました。

さらに奇妙なことに、ＰＣＲ検査において、ＣＴ値と言われる増幅サイクルが35を超えるとＤＮＡのカケラなども検知してしまうので無意味だとされているのに、日本では40以上の高い値が使われ、わずかでも「何か」が見つかると感染者と数えられました。検査で陽性であることは必ずしも感染を意味しませんが、なぜか意図的に陽性者イコール感染者という数え方をしていたのです。

マリス博士本人は、ＰＣＲ検査の不適切な使い方に抗議することはできませんでした。なぜなら、２０１９年8月、武漢で騒ぎが起こる直前に急逝《きゅうせい》していたからです。

World Integrated Trade Solution（ＷＩＴＳ）というツールがあります。世界銀行を含む複数の国際機関によって編集された、貿易や関税に関する情報にアクセスし、検索するためのツールです。

ＷＩＴＳを使えば、誰でも貿易や関税に関連するサマリー情報を素早く入手することができます。

ＷＩＴＳによると、なぜか２０１８年に世界中で大量にＰＣＲ検査キットが売買されていることがわかります。それも、２０１８年の取引なのに、ＣＯＶＩＤ-19と記載されているのです。

２０１６年は取引されておらず、２０１７年から取引が開始され、２０１８年で爆発的に取引されました。その量は、2020年の取引量と同じでした。

なぜ、2018年時点で製品名にCOVID‐19の記載があるのかという問いに、世界銀行は2020年以降の分類が遡《さかのぼ》って反映されたからだと答えました。

感染者の数も爆発的に増えましたが、死亡者の数も膨大なものとなりました。なぜなら、**たとえ事故で死んでも、検査をして陽性なら新型コロナで死んだことにして数えるように世界中で通達が出されていたからです。日本の厚労省も同様の通達を出していました。**

台湾、オーストラリア、ニュージーランドなど、いくつかの国は初期の水際対策に成功して感染を抑え込みますが、次第に制御できなくなり、オーストラリアやニュージーランド、カナダなど、普段はリラックスしたお国柄で知られる国々が過激な統制を実施して世界を驚かせました。死の恐怖が人々を支配していたのです。

事態を憂慮したトランプ政権は、製薬会社に天文学的な資金を渡して、最速でワクチンを開発するように依頼しました（オペレーション・ワープスピード）。

そして登場したのがm（メッセンジャー）RNAワクチンでした。

これは従来の手法と全く異なる、遺伝子に働きかけるワクチンでした。1990年頃には変異の激しいコロナウィルスに対して有効なワクチンは作れないという結論に達し、m

ＲＮＡワクチンの開発は頓挫《とんざ》していたはずでした。一度も実験に成功したことがないとされていたはずですが、急激に開発されたワクチンが治験も完了しないうちに安全で効果的とされ、２０２１年から世界中で半ば強制的に接種されていきました。

有効な既存薬は否定され、人類にとって未知のワクチンを強制し、超過死亡激増！

イベルメクチンやヒドロキシクロロキンが感染予防や治療に効果的であるという報告がさまざまな臨床の現場から出されましたが、徹底的に否定されました。

そして、２０２２年の10月末には一回以上接種した人の数が世界人口の約70％に達しました。

主流となったファイザー社製とモデルナ社製は、当初2回接種すれば免疫は完成するという話でしたが、その後も追加接種を繰り返し、特に日本では7回目まで進みました。これは世界でも類を見ない特殊な現象です。そして、２０２３年9月の時点で、人口10万人あたりの感染者数で世界最多の感染者を出すに至っています。アメリカの約１７０倍ほどの率です。接種すればするほど感染することを実証してしまっています。

世界中で、既存のいかなるワクチンでも報告されたことのない死亡事例を含む強い副反応や副作用が報告されました。ところが、2021年4月30日付でファイザーがFDA（アメリカ食品医薬品局）に提出した報告書では、1291種類のワクチン有害事象及び副反応がリストされていました。作った側では事前にわかっていたのに公表していなかったのです。

若者やスポーツ選手の心筋症や心筋炎による突然死や、ターボ癌とも呼ばれる異常に進行の早い癌の増加が指摘されるようになりましたが、接種が中止されることはありません。従来のワクチンであれば一件でも接種直後に死亡者が発生すれば接種中止となるはずですが、今回は1000人単位で報告されても「因果関係不明」とされ、ベネフィットがリスクを上回るとされています。

ユーチューブで新型コロナ対策やワクチンに関する疑問を呈する発信をしたり、イベルメクチンなどの既存薬について発信すると、削除されたりアカウントを凍結されたり、徹底的な言論統制を受け、主流メディアからは根拠のない陰謀論だと激しく攻撃されます。

その状況は今も変わっておらず、ネット番組では止むを得ず「ワクチン」を「お注射」

などと言い換えています。

恐ろしいほどに、「イベント201」におけるパネルディスカッションが活かされているというわけです。

2020年のアメリカ大統領選挙では、パンデミックを理由に郵便投票が極限まで増やされ、再選確実と分析されていたトランプが、史上最多の得票を得ていながら、存在感希薄だったバイデンに郵便投票の開票で逆転される事態となり、アメリカは完全に分裂してしまいました。

やがて世界中で人口動態に変化が起こり、日本でも、ワクチン接種開始後の2021年、そして複数回接種が進んだ2022年の超過死亡者数は統計学的に異常な増加を示しています。しかも、死亡者数の増加とワクチン接種にはきわめて高い相関のあることがわかっています。死亡数が激増する一方で出生数は、統計を取り始めて以降史上最少となり、2022年の出生者数は77万人で、人口減少に拍車がかかっています。

これは世界的な現象であり、特にワクチン接種率の高い国で顕著になっています。

エリートたちが予定したとおり、これから確実に世界人口は減少していくことでしょう。

以上、2019年から事実のみを並べて簡単に振り返ってみました。

この一連の流れをどう捉えるかは個人の自由です。

コロナワクチンが安全で効果的だと信じて、ずっと打ち続ける人もいるでしょう。それも自由です。しかし、私には、ローマクラブが1972年に発表した成長の限界と、1973年の映画「ソイレントグリーン」、そしてここ数年の出来事に明確な一貫性があり、パンデミックやワクチンを政治的に利用する意図を感じざるを得ないのです。

想像するだけでゾッとするのですが、今の状況を最も正確に表現していたのが、『成長の限界』をまとめたデニス・メドウズの言葉ではなかったのでしょうか？


人々が自由と高い生活水準を保ちたいのであれば、地球人口は10億人に減らす必要がある。人口の大幅な削減は、慈悲深い独裁者によって、ゆっくりと、可能な限り平等に実行されるべきである。

これが私の考えすぎであることを願ってやみません。

世界政府樹立
――国家喪失の日は近い――国連の緊急プラットフォームとは何か？

今回のコロナ・パンデミックで、グローバリストたちにとっておそらく最も不満だったことは、各国がバラバラに対応したことだったのではないでしょうか？

そこでWHOを中心に、パンデミック条約なるものを作ることが検討されていることは前述しました。これは多くの非欧米の国々から大きな反発を受けたのですが、なんと国連は、さらに強力な緊急プラットフォームなるものを提案し、それをバイデン政権は支持しているというのです。

2023年7月4日付の、「フェデラリスト」の（The Federalist「The U.N. is Planning to seize Global Emergency' powers with Biden's Support」）という記事では、以下のことが伝えられています。

2024年9月、次期アメリカ大統領選挙の2カ月前に、国連は画期的な「未来のサミット」を開催し、国連加盟国は「未来のための協定」について採択することが予定されています。この協定は、国連が「Our Common Agenda（共通の課題）」という大綱に基づき、過去2年間にわたって提案してきた数々の政策改革を具体化しようとするものです。アジェンダには数多くの急進的な提案が含まれているのですが、その中で最も衝撃的なのが、新たな「緊急プラットフォーム」のための国連計画というものです。

これは、世界的なパンデミックのような、「グローバル・ショック」と呼ぶべき事態が発生した際に、国連に大きな権限を集中させ、全ての加盟国は国連の指導に一律的に従うというものです。

この緊急プラットフォームが始動すれば、国連は「公平性と連帯の原則を中心に据えた国際的対応を積極的に推進する」という名目の下に、世界の学者、政府、民間セクター、国際金融機関など、世界中の〝利害関係者〟を集め、危機に対する統一された世界的対応を確保することが認められます。つまり、緊急世界政府の樹立です。

どのような「グローバル・ショック」が緊急プラットフォームの引き金となるのでしょうか？　国連は正式な提案の中で、「大規模な気候変動」、「将来のパンデミックリスク」、「世界的なデジタル接続の途絶」、「宇宙空間での大規模な出来事」、そして「不測のリスク（ブラック・スワン・イベント）」など、いくつかの可能性のある幅広い例を示しています。

信じられないほど広範なカテゴリーが、緊急プラットフォームを起動するための理由として列挙されているわけですが、この提案ではさらに、「将来、どのような種類の世界的な衝撃に直面するかわからないため、〝危機の種類にとらわれない〟ものであるべきだ」と明言しています。

信じがたいことですが、話はここで終わりません。

国連独自の政策提案によると、緊急プラットフォームの活動期間は、当初、期間限定で設定されるものの、「その期間が終了した時点で、国連事務総長は必要に応じて緊急プラットフォームの活動を延長することができる」というのです。

つまり、事務総長は加盟国の再承認なしに、緊急プラットフォームを無期限に維持する権限を持つことになります。恒久的世界政府の確立です。それは個別国家の主権の完全否定です。

そして驚くべきは、バイデン政権はアメリカの独立と主権を主張するどころか、緊急プラットフォームへの支持を表明したということです。クリス・ルー米国国連大使は、2022年3月に少なくとも2回の演説で、バイデン政権が「Our Common Agenda」に含まれる他の多くの提案とともに緊急プラットフォームを支持していることを表明しました。

緊急プラットフォームは、膨大な権力と影響力を国連の下に一元化し、国連がアメリカ人の生活をこれまで以上に管理することになりますが、バイデン大統領は、アメリカ人の権利のために立ち上がるどころか、アメリカ人の権利を売り渡すことにすでに同意しているのです。もちろん、対象となるのはアメリカのみならず、日本を含めた多くの国々です。

もし、2024年9月に緊急プラットフォームが承認されれば、11月の米国大統領選挙までに何が起こるでしょうか？

世界規模で異常な事態が発生し、それに呼応して実質的な世界政府が樹立され、大統領選挙が実施されないのではないかという可能性もあります。

主権国家としてのアメリカも日本も消滅してしまう可能性があります。

グローバリズムの脅威は、既にここまで来ているのです。

4章

「守るべき日本」を取り戻す

「属国日本の厳しい現実」を直視し、真の独立を勝ち取るために

1

「吉田ドクトリン」の完全否定こそ日本独立への第一歩

安倍晋三《あべしんぞう》元総理のどこが偉大だったのかわかりますか？

2022年7月8日、安倍晋三元総理は参議院選挙の選挙期間中に凶弾に倒れました。それからの日本は、予想だにしないスピードで瓦解を続けているように見えます。

特に、自民党の保守政治家を支持してきた岩盤保守層を激怒させたのは、次の2つの点だと思います。

まず、自民党と岸田政権がラーム・エマニュエル駐日米国大使の言いなりになって、およそ国柄に合わない「LGBT理解増進法案」をわずか1週間で強引に可決させたこと。

次に、「レーダー照射事件」問題について、韓国軍からも政府からも具体的な謝罪がないまま、なし崩しに韓国からの要請に応じる形で通貨スワップを再開し、韓国をホワイト国に復帰させたことです。

単なる大使が、他国の政権に対して「この法律を成立させるべきだ」と要求した傲岸不《ごうがんふ》遜《そん》な態度は、露骨な内政干渉に他ならず、外交常識を遥かに逸脱した異常なものでした。

しかし、「大使本人」と「大使による『命令』を唯々諾々《いいだくだく》と受け入れた日本の総理」の双方に対して、腸《はらわた》が煮えくり返るような強烈な怒りを感じた国民は少なくなかったようで、この2つの〝事件〟を目の当たりにしたかなりの数の人が、日本は依然として完全にアメリカの属国であることに気がつきました。

実際、日米同盟の実像は、まるで対等な関係ではなかったのです。パートナーシップどころか、日本は依然としてアメリカを宗主国と仰ぐ、誇りなき属国だったのです。

米国大使は、植民地総督のごとく振る舞っています。

アメリカ政府の命令とあらば、日本政府はそれが仮に理不尽なものであろうと、追従笑いを浮かべつつ、つき従うほかないという現実が白日の下《もと》にさらされたのです。

「安倍さんが存命だったらこんなことにはならなかったはずだ」と、多くの人が異口同音に嘆きました。

確かに、安倍元総理が存命だったら、こんな無様なことにはならなかったでしょう。それは間違いありません。

しかしながら安倍政権が継続していた間も、日本が属国であった事実に変わりはありません。それでも安倍晋三は、戦後の日本の首相としては極めて稀《まれ》な例として、独自外交、独自防衛を戦略的に推し進めていました。その結果、世界のリーダーたちから厚い信頼を集め、尊敬されていたことは確かです。

トランプ米大統領とは、世界のどの首脳よりも緊密な関係を築きました。安倍晋三が率いる日本を見て、誰も日本がアメリカの属国に過ぎないとは感じませんでした。日本国民も、日本が世界に胸を張れる独立国だと信じて疑いませんでした。

しかし、現実は違っていたのです。

繰り返しますが、日本の立場は敗戦以来ずっと属国であり、安倍政権当時も属国だったのです。それにも拘らず、安倍晋三は、あたかも日本が誇り高い独立国であるかのように振舞い、時に世界をリードしていました。属国の首相であるからと卑屈になることもなく、宗主国からの圧力もかわし、独自の外交戦略を立案して推し進めました。

ロシアのプーチン大統領と独自のパイプを築いて中露の結託を防ぐべく楔《くさび》を打ち込んだ

かと思えば、インドを巻き込んで、歴史上初めてとなる日本の提案による同盟・日米印豪によるクワッド構想を実現させました。アメリカやオーストラリアの国会で演説し、万雷の拍手を浴びました。

すなわち、安倍晋三という政治家は、属国の首相というハンデをものともせずに、あたかも**自立した独立国の首相であるかのように**振舞い、行動し、世界から高い評価を得ることができたという点において、偉大な政治家だったのです。

安倍晋三を見ていた日本人は、彼があまりにも堂々としていたので、日本が本当は属国に過ぎないことに気づけませんでした。従って、なぜ安倍晋三が偉大なのかその本当の理由を理解することも、またなかったのです。

翻って、日本を属国として支配し続けておきたい米国内勢力からすれば、安倍晋三ほど邪魔な人間はいませんでした。米国政界にパイプを持つ知人によれば、トランプ政権下のホワイトハウスにはキッシンジャー系の人間が多く配置され、安倍の独自路線に寛容だったが、バイデン政権になると、ロシア敵視のネオコン系が中枢に入り、プーチンと独自のパイプを持つ安倍晋三は、疎《うと》ましい存在になったということです。

従って、安倍晋三が凶弾に倒れ、この世を去るや否や、にわかに米国大使が植民地総督であるかのように振舞い出したこと、そして岸田政権が平身低頭していることも予想通りだというのです。

日本国民は「安倍さんがいればこんなことにならなかった」と嘆くよりも、自分たちがあたかも独立国の住人であるかのような錯覚を続けさせていた安倍マジックがついに終了し、現実の世界に舞い戻ったのだということを冷静に認識すべきなのです。

日本属国史——日米講和条約は、日米安保条約で永久に帳消し

日本はいつからアメリカの属国なのでしょうか？　それはもちろん、1945年の敗戦以来です。その時から今日まで、日本は一度も独立したことがないと言ったら、ほとんどの日本人は唖然《あぜん》とするでしょう。

「1952年に吉田茂がサンフランシスコ講和条約を結んで、晴れて独立国になったじゃないか」と、不信に思われるかもしれません。

しかし、「日本が独立していない」ことはまぎれもない現実であり、この本の主要テーマの一つです。

日本人は、映画「マトリックス」のように、〝日本が独立国であるという仮想現実〟の中で生きて来たのです。71年近く、実によく管理されていた仮想現実でしたが、アメリカ国内がこの数年、実質内戦状態となって混乱する中で、ランボーと仇名され、民主党内でも忌《い》み嫌われていた危険人物が駐日アメリカ大使として赴任して来たことで、状況は変わってしまいました。

バイデン政権は、日本人を錯覚させる緩やかな間接統治から、マッカーサー時代の強権的な直接統治に戻ろうとしているようです。

1952年、サンフランシスコ講和条約の発効とともに日本は独立し、主権を回復したことになっています。以来、日本人は日本のことを独立国だと思い込んできたのですが、その独立は名目的なものに過ぎなかったのです。

なぜならば、**講和条約と同時に発効した日米安保条約は、日本が望んでアメリカに占領を続けてもらう無期限の占領継続条約だったた**からです。

その細目は、国民の目に触れない日米行政協定によって決められ、日米地位協定と名称を変えて今日まで存続しています。また、日本の官僚機構と在日米軍の間で定期的な会合（日米合同会議）がずっと開催されていますが、その議事録は決して公開されません。

日本は、表向きは独立国家のふりをしながら、安全保障を全てアメリカに委ねるが故に、実質的には占領下に置かれたままなのです。

吉田ドクトリン＝戦後レジームとは、独立放棄ドクトリンでした。

そのような状況下にありながら、日本をあたかも誇りある独立国であるかのように輝かせることができたという点において、安倍晋三は稀有な才能と志を持った偉大な政治家だったのです。

安倍晋三の遺志を継ぐとは、日本を真の独立国へと導く〝決意〟を持つことを意味します。その意志がない者にそれを口にする権利はありません。

その安倍晋三にも限界がありました。これも米国情報に明るい人に聞いたところ、実はトランプ大統領は安倍首相と会うたびに、「日本はサムライの国だ。自分の国は自分で守って独立すべきだ」と言っていたそうです。しかし、安倍首相はいつも話題を変えて話を逸《そ》らし続けたのだそうです。せっかくアメリカ大統領が自主防衛と独立を勧めてくれたのに、なぜあの安倍首相ですら正面から受け止めなかったのでしょうか？

トランプ政権時代、アメリカ国務省（外務省）は日本の外務省に対して、「トランプが何を言っても相手にするな、無視しろ」と指示してきていたそうです。

安倍首相は外務省と国務省を敵に回してまで、吉田ドクトリンを放棄して独立するのは無理だと考えていたのでしょうか？　あるいは憲法改正もできていない段階で、自主防衛まで突き進む自信がなかったのでしょうか？　それとも、吉田茂《よしだしげる》同様、あくまでも米軍を利用し、米軍に守ってほしいと考えていたのでしょうか？

今となっては本人に質問することもかないません。

本来なら、1951年9月に日米安保条約に調印する時点で、米軍駐留の期限を5年なり10年と設定し、その間に憲法も改正して自主防衛能力を高める努力を急ぐべきだったのです。

しかし、吉田茂は米軍占領下に留まることにより再軍備を拒否し、アメリカの戦争に駆り出されることから逃げ続けることを選択しました。その結果、日本は朝鮮戦争にもベトナム戦争にも直接出兵せず、戦死者を出さずに済みましたが、それと引き換えに属国状態が固定化しました。目先の対処を永続化した代償はあまりにも大きいモノでした。

安倍晋三の悲願であった**戦後（敗戦）レジームからの脱却とは、対米属国主義からの訣別を意味します**。それを実現するためには、安倍晋三を越えなくてはなりません。

安倍元総理の遺志を継ぐと言う人々のうち、何人がこのことを明確に理解し、覚悟しているでしょうか？　それができる人材は存在するのでしょうか？

現状の政界を見るかぎり、はなはだ不安であると言わざるを得ません。

「吉田茂＝英雄」という悪しき虚構

ウォー・ギルト・インフォメーション・プログラム（WGIP＝War Guilt Information Program）という言葉をご存じかと思います。

これはGHQによる占領政策の根幹を成すもので、戦後の占領期に「戦争に踏み切ったことについて日本人に**罪悪感**を持たせ、二度と立ち直れないようにするための対日心理作戦」でした。「日本は無謀な侵略戦争を行った」「悪かったのは軍で、日本国民は被害者だ」「原爆を投下されたのも、戦争の早期終結のためだったから仕方ない」など、多元的・重層的に日本人は洗脳され、そのプロパガンダ以外の情報は「焚書」や「墨塗り」、「新聞の発行停止」など、メディアへの強烈な圧力によって完璧に遮断されていきました。

文芸評論家の江藤《えとう》淳《じゅん》氏や、元明星《めいせい》大学教授の高橋《たかはし》史朗《しろう》氏たちが、占領政策における具体的な指示書などを米国・国立公文書館などで探し、解読することで、戦後日本人がいかに洗脳されてきたか、その詳細な経緯が暴かれました。

それは画期的な発見であり、日本人が占領軍による洗脳から目覚めるきっかけとはなりましたが、私は今後日本が本当に立ち直るためには、もう一段、さらに大きく深刻な洗脳から目覚めなくてはならないと思います。それは、日本人のほぼ全員が学校教育を含めて信じさせられてきた「虚構のストーリー」です。

「戦後、自由主義者で平和主義者の吉田茂が総理大臣になった。吉田はマッカーサーを始めとする占領軍と対等に渡り合い、戦争では負けたが外交では勝利することにより、戦後の復興の道筋を作り上げた。日本は軽武装と憲法9条に基づく平和外交を展開し、経済に集中するという『吉田ドクトリン』によって大きな発展を遂げた」

事実、安倍晋三以前に国葬が執り行われたのは吉田茂だけでした。

NHKのドラマでも、渡辺謙《わたなべけん》演じる吉田茂が果敢にGHQと渡り合い、日本の国益を守り抜き、戦後の繁栄に道を開いた英雄であるかのように描かれています。

（「負けて、勝つ」～戦後を創った男・吉田茂～：NHKドラマスペシャル・2012年5回連

続）

ネットで吉田茂を検索すれば、前記のような吉田評ばかりがステレオタイプのように出てきます。しかし、実はそれらが虚構だったとしたらどうでしょう？

統治する側のアメリカからすれば、日本人が真実を直視せず、そのように信じ続けているほうが、支配のためには都合がいい。日本人の自尊心を満足させつつ、今もアメリカに支配されているという事実に気付かせないための、とても大掛かりなディスインフォメーションだったとしたら？

日本人はＷＧＩＰによって罪悪感（原罪？）を植え付けられただけではなく、映画「マトリックス」のように、完全な仮想空間の中で、戦後、特に名目的な独立（１９５２年）後、今日まで生きてきました。しかしそれは宗主国であるアメリカが作り出した仮想空間に過ぎなかったのであり、言い換えれば動物園の中に存在するサル山のようなものです。

日本人は、そのサル山こそが「本当の世界」だと思い込まされてきたのです。

結論的に言えば、日本が１９５２年にサンフランシスコ講和条約によって主権を回復し、独立を果たしたというのはあくまでも名目的な体裁にすぎないのであり、実際には今日に至るまで日本はアメリカの統治下にあります。その現実を覆い隠し、見えなくするために植え付けられたのが、「吉田伝説」なのです。

吉田は実際、上等な葉巻を吸い、偉そうに振舞う男だったそうです。

その陽気で豪胆そうな態度が吉田伝説の形成に寄与したことは事実のようですが、実際にしたことはイメージとは反対で、日本を戦後復興に導いたのではなく、**アメリカの永久植民地に固定した男**として認識されるべきなのです。

吉田のイメージと実態の差について、近現代史研究家の杉原誠四郎《すぎはらせいしろう》氏や阿羅健一《あらけんいち》氏の論評などを参考にしながらまとめてみたいと思います。

（『対談・吉田茂という反省』阿羅健一・杉原誠四郎・自由社）

①吉田は英語が下手だった

これは国際政治アナリストの伊藤貫《いとうかん》氏から直接聞いた話なのですが、伊藤氏の親しい友人にハワイ生まれの日系二世の人がいて、その父親が戦後マッカーサーの通訳を務めていたのだそうです。その父親の話によると、日本に上陸したマッカーサーは、当初通訳抜きで、吉田とサシで話をしようとしました。吉田は駐英国大使を務めた経歴があったので、当然英語は堪能《たんのう》だと思っていたのです。

ところが実際に会話を始めると、チンプンカンプンで吉田が何を言っているのかさっぱりわかりません。そこで慌ててその父親を呼び出して通訳させたそうです。

つまり、吉田の英語力は低く、マッカーサーと一対一で議論することなどとうていできませんでした。あれはドラマが作り出した虚像だったのです。

吉田は戦前、アメリカ大使赴任を打診されて断っていますが、その理由のひとつは英語に自信がなかったことではないかと指摘する研究者もいます。

吉田の英語力不足については白洲次郎《しらすじろう》も指摘しています。

②吉田はマッカーサーの「茶坊主」にすぎなかった

前述の日系人通訳によると、吉田はマッカーサーと対峙するどころか、徹頭徹尾媚《こ》びへつらっていたそうです。マッカーサーがトルーマン大統領に罷免されて急遽帰国した際に吉田がマッカーサーに送った手紙が残されているのですが、その文面にも表れています。

「あなたが、我々の地から慌《あわ》ただしく、何等の前触れもなく出発されるのを見て、私がどれだけ衝撃を受けたか、どれだけ悲しんだか、あなたに告げる言葉もありません」

これでは、まるでラブレターではありませんか。

③吉田は日本の国益より自分の好き嫌いを優先させた

吉田は外交官であり、総理大臣なのですから、国益のためには嫌いな相手とも冷静に交渉する必要があるはずです。しかし実際は、自分の感情を優先する人間でした。

満州を支配していた軍閥の張作霖《ちょうさくりん》から食事に招かれた時も食事に一切手を付けず、顰蹙《ひんしゅく》を買いました。また、戦後に連合国最高司令官のマーク・W・クラークの取り計らいで来日した韓国の初代大統領李承晩《りしょうばん》と対面した際も、全く交渉しようとせず、返礼訪問として の韓国訪問も外務大臣に押し付けようとして李承晩を激怒させ、竹島《たけしま》問題と日本人漁師の拿捕《だほ》・抑留問題を解決できなかったばかりか、極端な反日に走らせてしまいました。

④米軍による日本占領の継続は、吉田が自ら望み、導いたこと

吉田は徹頭徹尾、再軍備を嫌いました。

終戦直後のGHQの日本占領政策はかなり左翼的で、日本の弱体化と非武装化に重点を

置いたものでした。しかし、朝鮮半島で戦争が勃発すれば共産主義との対決が避けられなくなると見たマッカーサーは、1950年1月に、「憲法9条は自衛権を否定したものではない」と述べ、開戦直前に来日した米国務長官のジョン・フォスター・ダレスは、吉田にはっきりと日本の再軍備を要請します。占領軍は占領が終了したら引き上げるのが国際法上の常識であり、ポツダム宣言にもそのとおり記されていました。

マッカーサーは、占領開始当初こそ「日本の防衛は国連が担当すればよい」という理想論を掲げていたのですが、それでは危なすぎると感じた昭和天皇は、1947年5月6日に行われたマッカーサーとの第4回会談で、日本の国防を国連に依存することへの懸念を述べ、マッカーサーのリーダーシップを要請します。

ところが、肝心の首相である吉田は、日本の再軍備に関してはかたくなに固辞し、ただ米軍の駐留継続を望む一方だったので、ダレスは仰天したそうです。

米軍の駐留継続を希望するということは、日本が非武装のままでは危険すぎるとの認識を持っているはずなのに、自ら再軍備はしたくないと主張するのです。吉田の言い分は、「日本は経済的に軍隊を創設する余裕はなく、日本国民も再軍備に反対している」というものでした。しかし、自主防衛を拒否して戦勝国の軍隊駐留継続を望むということは、「属国にしてくれ」という意味です。驚いたダレスは次の言葉を残します。

「まるで不思議の国のアリスになった気持ちだった」

ダレス訪日の3日後、1951年6月24日に朝鮮戦争が勃発します。

当時の日本でも危機感は一気に高まり、世論的にも再軍備に賛成し、米軍の駐留継続に反対する声のほうが上回っていました。

当時の日本人のほうが、今よりずっと健全なバランス感覚を持っていたのです。

しかし、吉田は前述のように嘘をついてまで再軍備を拒否し続けました。


ダレスは半年後に再来日し、改めて日本の再軍備を要請します。すでに朝鮮戦争による特需景気もあり、日本経済は明らかな回復基調にありましたから、吉田はダレスの要請を拒否することができず、5万人規模の正規の防衛軍を設立することを約束します。

しかしながら吉田はその事実を一度も公表せず、ダレスにもマッカーサーにも内密にしてくれるように頼み、結局防衛軍設立を実行せずに反故《ほご》にしてしまいます。

吉田は約束を破ってまで再軍備を拒否し続けたのです。

日米安全保障条約は、吉田が願った「日本の占領継続条約」だった

国際法の常識から言うと、米軍側から駐留継続を決めることはできませんから、日本側から要請する形を採《と》ることになります。苛烈な朝鮮戦争を戦う米軍にとっても、そのタイミングでの日本からの撤退は現実的ではないという事情もありました。

そこで一計を案じてサンフランシスコ講和条約と同時に調印されたのが、日米安保条約です。すなわち、日米安保条約は最初から吉田が望んだ占領継続要請条約だったのです。

その事実は条文を読めばわかります。

前文

日本に独自の防衛力が充分に構築されていないことを認識し、また国連憲章が各国に自衛権を認めていることを認識し、その上で防衛用の暫定措置として、日本はアメリカ軍が日本国内に駐留することを希望している。また、アメリカ合衆国は日本が独自の防衛力を向上させることを期待している。平和条約の効力発行と同時にこの条約も効力を発効することを希望する。

第一条（アメリカ軍駐留権）

日本は国内へのアメリカ軍駐留の権利を与える。駐留アメリカ軍は極東アジアの安全に寄与する他、直接の武力侵攻や外国からの教唆などによる日本国内の内乱などに対しても援助を与えることができる。

第二条（第三国軍隊への協力の禁止）

アメリカ合衆国の同意を得ない第三国の軍隊の駐留・配備・基地提供・通過などの禁止。

第三条（細目決定）

細目決定は両国間の行政協定による。

第四条（条約の失効）

国際連合の措置または代替されうる別の安全保障措置の効力を生じたと両国政府が認識した場合に失効する。

吉田は、華やかなウォーメモリアル・オペラハウスにおいてサンフランシスコ講和条約に調印した後、お供の池田勇人《いけだはやと》だけを連れてプレシディオ国立公園の下士官用クラブハウスの一室に赴きますが、そこで池田を押しとどめ、自分だけで日米安保条約に署名します。

条文を読めば、外国からの侵略のみならず、日本国内の内乱への対応、つまり治安軍としての機能までを米軍に期待していることがわかります。

ダレスはこの条約を次のように評しました。

「米国は、望む数の兵力を望む場所に望む期間だけ駐留させる権利を確保した」

今日にまで至る、日本の永続的対米従属（属国化）が確定した瞬間でした。

しかし条文には、この取り決めが暫定措置であって、アメリカは日本が独自の防衛力を構築することを望むとも明記されています。

日本に当たり前の自立心、独立心とプライドがあれば、当面のやむを得ない措置だったとしても、5年なり10年なりの期限を切って、その間に自己防衛力を高めることを前提としたはずで、そう言われても、マッカーサーもダレスも驚かなかったでしょうし、当時の日本国民もそれを自然に支持したはずです。実際、当時の世論調査では再軍備に賛成する声が多数でした。

しかし、吉田は詳細を国民に明確に説明することもなく、東京大空襲などをはじめ、焼夷弾による都市大空襲で市民を皆殺しにし、原爆を2発も落とした当の敵国に永久保護を求め、自ら属国となる道を選んだのでした。

それから70年以上の時が流れました。

今なお、自衛隊は米軍抜きで自己完結的に戦う能力もシステムも持たず、私たちは占領され続けているのです。

⑤吉田は「東條《とうじょう》憎し」で、自衛隊を警察組織に留めた

軍隊と警察が根本的に違うことは小学生でもわかると思います。

警察は、あくまでも治安維持が目的ですから、所持する武器も限定されています。「武器比例の法則」という概念もあり、制圧すべき相手が持っている武器の威力を大きく上回る武器を使用することは禁じられています。

しかし、軍隊は基本的に外国の軍隊と戦うことが使命であって、任務遂行の上で想定される状況も苛烈で、警察の行動原理を当てはめることはできません。

「ポジティブリスト」と「ネガティブリスト」の違いで説明しましょう。

警察は、「やってもよいという事項のリスト（ポジティブリスト）」に則《のっと》って任務を遂行

します。これに対して、戦場で戦う軍隊のほうは「やってはいけない事項のリスト（ネガティブリスト）」に則って任務を遂行するというのです。なぜか？　やっていいことかどうかを戦場でいちいち確認していたら、たちどころに敵に撃破されてしまうからです。

驚くべきことですが、日本の自衛隊は見た目は軍隊であっても、法的な位置づけは警察組織の延長になっています。従って、軍法も軍法会議もありません。

これでは国連の平和維持活動に参加したところで、外国に迷惑をかけてしまいますし、もちろん、日本の防衛任務の遂行にも支障をきたすはずです。

いったいなぜこんな異常なことになってしまったのでしょうか？　その根本原因はやはり吉田にありました。

前述のように、吉田は断固として再軍備を拒否していましたが、朝鮮戦争が始まると、背に腹は代えられないマッカーサーは、警察予備隊の設立を命じます。これが自衛隊の前身（第一形態）ですが、その名称からして警察の延長であることを想定させます。

実際には、朝鮮戦争前から旧軍人によって再軍備の研究は進められていて、新たな防衛軍設立構想は、第二次世界大戦の失敗を反映させた高度なものでした。そして、それをGHQ第2部長のウィロビー少将が後押しします。

そのまま進んでいれば、警察予備隊は正規の軍隊として発展して日本軍となり、今日の自衛隊が抱える矛盾も避けられた可能性がありました。

しかし、日本政府は吉田の意向により、戦前まで警察を掌握していた旧内務省の生き残りを、この警察予備隊の責任者に任じます。マッカーサーも同意します。

もちろん必要なのは正規の軍隊だったのですが、旧内務省が主導することによって、警察予備隊は警察組織に組み込まれたのです。そしてこれが、今日まで後を引いています。

なぜ吉田が内務省側に立ったかという点を、阿羅健一氏はこう説明しています。

国防軍創設を研究していた旧軍人の服部卓四郎《はっとりたくしろう》や西浦進《にしうらすすむ》、井本熊男《いもとくまお》らは東條英機《とうじょうひでき》の部下だったことがあり、東條を憎む吉田は東條の部下をすべて排斥したかったというのです。ここでも、吉田の判断が日本の戦後を歪ませることとなりました。

⑥日本共産党の野坂参三《のさかさんぞう》でさえ認めた「自衛権」を吉田は否定

今日でも多くの日本人が、「憲法9条のおかげで戦後日本は戦争をしなくてすんだ。憲法9条は素晴らしい」と考えています。そういう人たちは、戦争は、日本が出て行って仕掛けないかぎり起こらないと考えているようです。しかし現実は全く違います。

戦後の日本に、侵略戦争を行う意思も理由もないことは明らかです。

また、日米安保条約によって世界最強の米軍が全国展開している日本に対して、外国が安易に攻めてくるわけがありません。事実としてはそれだけのことなのですが、憲法9条の解釈の曖昧《あいまい》さが自衛隊の存在を曖昧にし、その結果として日本がいつまでも自立できないでいることは明らかです。

この憲法9条の解釈を一方的な方向に誘導し、日本を真の独立から遠ざけているいわゆる「憲法9条問題」の元凶も、実は吉田だったのです。

日本人が大好きな憲法9条は、マッカーサーが書いた「マッカーサー・ノート」に端を発します。GHQが望むような民主的な憲法を、いつまでも日本政府側が起草できないでいることに業《ごう》を煮やしたマッカーサーは、GHQの民政局スタッフに「皇室維持」「封建制廃止」「戦争放棄」を柱として憲法を起草するように指示します。

ホイットニーを含めて弁護士が4人いたものの、憲法の専門家がいなかった民政局スタッフは、わずか9日間の突貫工事で継ぎ接《は》ぎのドラフトを書き上げます。

マッカーサーが与えた条件のうちの「戦争放棄」の部分が、憲法9条となります。

この時点でマッカーサーは、日本には自衛目的でさえ武器を持たせないと宣言し、丸裸の日本は国連軍が守ることを想定していました（ただし、沖縄に基地を置くことは前提としていた）。

マッカーサー・ノートには、こう記されていました。

「国家の主権の行使としての戦争は廃止する。日本は紛争を解決する手段としての戦争、および自らの安全を保持するための手段としてさえも、戦争を放棄する。日本はその防衛と保護を、いまや世界を動かしつつある崇高な理念に委ねる。日本が陸海空軍を持つことは、将来も許されることはなく、交戦権が日本軍に与えられることもない」（山岡訳）

原文はこのように、極めて上から目線の高圧的なもので、日本の徹底的な弱体化を意図していました。しかし、全ての国に自衛権が存することは法律論として当然でしたから、「自らの安全を保持する手段としてさえも」のくだりは、民政局次長のチャールズ・L・ケーディスによって削除されます。また、日本共産党の野坂参三《のさかさんぞう》でさえ、自衛戦争は認められるはずだと国会で主張しました。

ところが吉田茂は、国会で「戦争の多くは正当防衛を理由に始められるのだから、正当防衛を認めることはますます戦争を誘発する有害無益な考えだ」と言って一蹴してしまいます。

しかし、GHQも自衛権を否定することはできないと考えていましたし、第9条の第一項はそもそも、侵略戦争を禁じ、国際紛争の解決手段として戦争に訴えることを違法とするという最も一般的な国際法（パリ不戦条約など）のコピペでしたから、自衛のための戦争や軍隊の保持を禁止してはいませんでした。

問題は、軍隊の保持と交戦権を否定する第二項だったので、衆議院の憲法改正のための小委員会で修正が行われ、「前項の目的を達するため」の一文が加えられます。これが芦《あし》田均《だひとし》による、いわゆる「芦田修正」です。

GHQはこの修正によって自衛戦争のための軍隊は保持できるようになったと解釈して許可し、第66条二項に「内閣総理大臣その他の国務大臣は、文民でなければならない」という一文を入れるように命令します。

これは、文民の他に軍人がいることを当然の前提とし、軍人がそのままの身分で総理大臣や国務大臣になってはいけないという文民統制を意味しているわけですから、この時点で第9条を巡る解釈の問題は決着していたと考えることも可能です。

しかし、吉田はこれらの修正を一切無視します。ダレスが来日して再軍備を要求すると、第9条を理由に拒否し、マッカーサーの同意を取り付け、警察予備隊を軍隊ではなく、警察にしてしまいます。

そしてなんと、自らが率いる内閣法制局に、「日本は自衛のためでさえ戦力も交戦権も保持していない」という解釈を政府見解として発表させてしまうのです。

まるでマッカーサー・ノートに先祖返りしたかのようです。そして、警察予備隊も保安隊も本質は警察なので、第二項で禁止される戦力には当たらないというのです。

一方、日米安保条約は国連憲章で認められている集団的安全保障の権利に基づく条約であるはずですが、内閣法制局は、「集団的自衛権は保持しているが、行使はできない」、という全く意味不明な解釈まで出しています。あまりにも支離滅裂です。

このように、再軍備による自主防衛回復と独立への機運は、戦後の混乱期においてさえ日米両サイドにあったのにも拘らず、吉田はそれらをことごとく潰し、日本を永久属国の位置に固定し、今日に至る禍根を残しました。

吉田は、わが国がごく普通の独立国になる機会を何度も捨て去ったのです。

「軍備を排し、経済に特化したから奇跡の復興を遂げた」も事実ではなかった

その他の点として、杉原誠四郎氏と阿羅健一氏は、「戦後日本経済が大きく復興したのは吉田の軽武装路線選択による功績との評があるが、それは事実でなく、朝鮮戦争、ベトナム戦争による特需が理由であり、しかも軍需産業を中心に回復した」と指摘しています。「軍事に金を使わず、経済のみに傾注したことで奇跡的な経済復興を成し遂げたという吉田ストーリー」も、また虚構だったというわけです。

さらに、吉田は遊び惚《ほう》けて真珠湾攻撃直前に宣戦布告文書を手交するという重大な任務を怠った外務省の責任を隠蔽《いんぺい》し、すべて東条英機の責任に押し付け、本来なら厳しく罰されるべきだった責任者の奥村勝蔵《おくむらかつぞう》と井口貞夫《いぐちさだお》を逆に外務次官に出世させることにより、外務省の大きな失敗を糊塗《こと》したとも指摘されています。

外務省の失態こそが日本に「騙し討ち《スニーク・アタック》をした卑怯者」という汚名を着せ、「リメンバー・パールハーバー」とルーズベルトに散々利用され、原爆投下の理由にまでされたというのに。これも「失敗しても責任を取らない」日本の官僚機構の悪癖の一つです。

こうして見ると、現在の日本の混迷と属国状態の原因の多くは、吉田茂の大局観のなさと個人的な利害や感情に左右され、国益を損なう判断ミスをしたという愚行に起因していると言っても過言ではないようです。

「日本国首相の吉田が自ら望んだ」という形を利用できたことで、アメリカは国際法違反の誹《そし》りを受けることもなく、日本の恒久的植民地化に成功しました。

アメリカにとって、一貫して日本の独立を目指した重光葵《しげみつまもる》や石橋湛山《いしばしたんざん》のような人物は疎《うと》ましく、公職追放の対象になる一方で、吉田茂のようにアメリカに隷属してくれる存在はありがたいわけです。

そして、日本国民が、今日に至るまで吉田についての真実を知らず、「戦争に敗けても外交で勝利して日本を敗戦の廃墟から復興させた偉大な首相」と誤認して崇《あが》め続けているほうが、アメリカにとっては都合がいい。だからこそ、今も日本のメディアに吉田伝説をプロモートさせ続けているのでしょう。

この観点で言えば、アメリカは非常にうまくやりました。マッカーサーが回顧録で「日本国民ほど完璧に屈服した国民はいない」と書いた所以《ゆえん》です。

私には、「マッカーサーとGHQに媚びへつらい、存分に利用された吉田」と、「バイデンとアメリカ民主党にひれ伏し、日本の国益と国民の幸福を犠牲にしてまで媚を売るが故にアメリカで評判がいい岸田文雄首相」の姿がダブって見えます。

岸田首相が率いる宏池会《こうち》は、奇しくもまさに吉田茂の系譜です。

いずれにしても、日本国民は今すぐ吉田伝説の幻想から目を覚まし、あるべき日本を取り戻さなくてはなりません。吉田ドクトリンの完全否定こそが、その第一歩なのです。

2 徹頭徹尾、日本のために ──「重光葵《しげみつまもる》」の生涯

戦前、戦中、戦後を通して「日本の誇りを守ろうとした」重光葵とは？

前節で見ていただいたとおり、偉大な政治家として称賛されてきた吉田茂の実態は通説とは全く異なるものでした。

GHQと対等に渡り合い、「戦争には負けたが、外交で勝った」などというストーリーは、全くの虚構だったのです。

現実の吉田は頑なに日本の再軍備と自立を拒否し、米軍による恒久駐留を要請することで日本の永久属国化への道を開いた人物でした。

故・安倍晋三元首相は戦後レジームからの脱却を唱えましたが、ついに実現できぬうちに非業の死を遂げました。私は、戦後レジームを「戦後敗戦レジーム」と呼ぶべきだと主

張してきましたが、戦後敗戦レジーム脱却実現のために必要なのは、憲法9条改正による自衛隊の明記などというレベルの話ではなく、「吉田ドクトリンは正しかった」という幻想から目覚めることを、まずスタートラインにしなくてはなりません。

吉田茂の虚像が流布される一方で、本当に日本の国益に尽くし、真剣に独立の回復に努力した人々は、ＧＨＱからは「危険な人物」「面倒な日本人」と見なされて公職追放の対象となり、歴史の表舞台から消され、脇役扱いされてきました。

その代表が重光葵です。

戦前、戦中、戦後を通じて外交官から外務大臣まで務めた重光葵は、戦前は戦争回避に尽力し、戦中は戦争に大義を与える努力をし、戦後は日本の自立を目指して粉骨砕身努力しました。その姿勢は右でも左でもなく、敵国となった米英からも高く評価され、チャーチルからもマッカーサーからも尊敬された愛国者でした。

重光葵とはどういう人物だったのでしょうか？

戦前……全力で戦争回避のため各国との交渉に努める

重光は1887年（明治20年）7月29日、大分県大野《おおの》郡三重《みえ》町に生まれました。父は、士族で大野郡長を務める重光直愿《なおまさ》、母松子《まつこ》（本家の娘）との間に次男として生まれました。しかし母の実家（重光家本家）に男子が絶えたために跡目養子として本家に入り、重光家26代目の当主となります。1911年に東京帝国大学法科大学独法科を卒業すると、文官高等試験を受けて外務省に入省します。

戦前の重光は、戦争回避に全力を尽くします。1931年（昭和6年）9月、満州事変が勃発し、国際問題となると、重光は「明治以来積み立てられた日本の国際的地位が一朝にして破壊せられ、我が国際的信用が急速に消耗の一途をたどって行くことは外交の局に当たっている者の耐え難いところである」（重光著『昭和の動乱』より）と憤激し、外交的解決を目指して奮戦します。

日本政府は一貫して不拡大方針を表明していましたから、前線の軍部が独断で前線を拡大し、それを政府が追認することになると日本の信頼は地に堕《お》ちます。重光はそれを憂慮しており、また日本が中国大陸に深入りすれば、利権を持つ欧米との対決が深刻化することも理解していました。

1932年（昭和7年）1月に第一次上海事変が発生すると、欧米諸国と協調しながら中華民国との停戦交渉を行います。重光はなんとかこの停戦交渉をまとめますが、同年4月29日、上海虹口《しゃんはいほんきゅう》公園での天長節祝賀式典中に、朝鮮独立運動家・尹奉吉《いんほうきち》の爆弾テロを受けて重症を負ってしまいます。

重光は足元に水筒型の爆弾が転がって来ても、微動だにしませんでした。後に逃げなかった理由を問われると、「国家斉唱中だったから」と答えたといいます。

当時の日本人は、国歌斉唱中は何があっても動いてはならないと教育されていました。このテロで上海居留民団行政委員会会長の医師である河端貞次《かわばたていじ》が即死。標的だった第9師団長植田謙吉《うえだけんきち》中将と上海派遣軍司令官白川義則《しらかわよしのり》大将が重傷を負い、白川大将は約一カ月後に死亡します。重光の隣にいた野村吉三郎《のむらきちさぶろう》海軍大将も避難せず、片目を失いました。

医者から命を救うためには右足を切断するしかないと告げられた重光は、これを了承すると、手術の直前にベッドの上で激痛に耐えながら上海停戦協定への署名を行います。

その時の重光の言葉が、「停戦を成立させねば国家の前途は取り返しのつかざる羽目に陥るべし」でした。事態はそれ以降、重光の懸念通りに進行してしまうのですが、重光は文字通り命がけで日本が破滅の道を進むのを止めようとしていたのでした。

その後、公使としてソ連に赴任した重光は、張鼓峰《ちょうこほう》事件、乾岔子島《かんちゃずとう》事件といった国境紛争の解決に努めます。名目上はソ連と満州国間の国境紛争でしたが、もちろん実質的にはソ連と日本の国境紛争でした。重光はそれぞれ外交的に問題を解決しますが、その際、日本側に有利な結果をもたらした重光の辣腕がソ連の恨みを買い、後の巣鴨《すがも》プリズン収監へと繋がります。

さらに駐英大使となった重光は、悪化する日英関係を好転すべく奮闘します。中でも特筆すべきは、チャーチルを含むイギリス側を説得し、援蔣《えんしょう》ルートを通じた蔣介石《しょうかいせき》政権への援助中止の合意にこぎつけたことです。欧米との戦争を避けるためには、中国との戦争を迅速に収束せねばなりません。しかし、英米仏ソが援蔣ルートを通じて背後から中国を支援し続ける限り、戦争は終わらずに泥沼化し、ついには欧米との戦争にエスカレートしてしまいます。そのため、重光はイギリスを説得して、援蔣ルートのうち、ビルマルートの閉鎖に合意させたのです。さらに踏み込み、日本訪問団の設立と日本訪問までをアレンジします。

日本と対決したくないイギリスは、全力で和平を目指す重光の外交努力を高く評価し、協調姿勢を示します。これは外交官に対しては特筆すべき評価と言えます。

しかし、重光の奮闘も空しく日本政府は日独伊三国同盟を結んでしまい、重光の和平に向けた計画は頓挫します。やがて日英は開戦に至りますが、イギリス側は重光への信頼と尊敬を保ち続け、戦後も「彼は戦犯にあらず」と重光を擁護しました。


重光の意思に反して、日本は欧米（連合国）を敵に回して戦争に突入してしまいます。

今ではよく知られているように、チャーチルはアメリカを引き込まなくてはドイツに勝てないと必死でしたし、ルーズベルトは、厭戦的で後ろ向きだった米国世論に火をつけて参戦したいがために、日本を追い詰めてなんとか先制攻撃をさせようと画策していました。

そしてあろうことか、ワシントンの日本大使館は宴会で羽目を外しすぎて真珠湾《しんじゅわん》攻撃前の宣戦布告文書の手交に失敗するという歴史的大失態を演じ、ルーズベルトに格好のプレゼントをしてしまいます。

開戦……外相を務め、アジア解放の大義を掲げた大東亜共同宣言を発出

この局面で、普通なら完全に失意で沈むかと思いきや、重光は戦時下の東條英機《とうじょうひでき》内閣・小磯国昭《こいそくにあき》内閣において外相を務め、日本の勝利と自らの理想実現のために尽力し続けます。

中でも特筆すべきは、ルーズベルトとチャーチルが1941年8月14日に発表した大西洋憲章に対抗する理念の必要性を論じ、大東亜共同宣言の発出《はっしゅつ》を行ったことです。

大西洋憲章というのは、「米英による第二次世界大戦終了後の目標＝戦後世界秩序の目標」を掲げた声明でした。言い換えれば、英米国際主義に基づく理念を表明し、戦争への大義名分を与えたのです。

この憲章には、次の8つの主要条項がありました。

大西洋憲章
1．米国や英国が領土的利益を求めてはならない。
2．領土の調整は、関係諸国民の希望に合致したものでなければならない。

3. すべての人々は自決の権利を有する。
4. 貿易障壁は引き下げられるべきものである。
5. 世界的な経済協力と社会福祉の増進が必要である。
6. 参加者は、欠乏と恐怖のない世界のために努力する。
7. 参加者は、海洋の自由のために働く。
8. 侵略国の武装解除と、戦後の一般的な武装解除が行われる。

この大西洋憲章は、一般には「後の国際連合憲章の基礎」と理解されていますが、2.の「領土不変更」に関しては、1945年2月のヤルタ会談において「ポーランド」「日本の千島列島」「バルト三国」をソ連領とすることを容認したということで、自ら憲章の内容を踏みにじったとされています。

それはともかく、重光は戦争遂行のためには大西洋憲章に対抗する理念の確立が必要であると説き、東條内閣にあっては大東亜省設置に反対しながらも、1943年（昭和18年）11月の大東亜会議開催に尽力し、人種差別をなくし、亜細亜の国々が互いに自主独立を尊重し対等な立場で協力し合うことを謳《うた》うという宣言を発表したのです。

大東亜共栄宣言

1. 大東亜各国は、協同して大東亜の安定を確保し、道義に基づく共存共栄の秩序を建設する。
2. 大東亜各国は、相互に自主独立を尊重し、互いに仲よく助け合って、大東亜の親睦を確立する。
3. 大東亜各国は、相互にその伝統を尊重し、各民族の創造性を伸ばし、大東亜の文化を高める。
4. 大東亜各国は、互恵のもとに緊密に提携し、その経済発展を図り、大東亜の繁栄を増進する。
5. 大東亜各国は、すべての国との交流を深め、人種差別を撤廃し、広く文化を交流し、すすんで資源を開放し、これによって世界の発展に貢献する。

戦況はこの時点で既に悪化しており、遅きに失した感は否めませんでしたが、重光はたとえ自衛目的であっても、戦争には理念と大儀が必要であることを深く理解していました。戦後の日本人は、「大東亜共同宣言は、日本が自らの侵略戦争を肯定するために無理やりアジア人に合意させたものにすぎない」という連合国側のプロパガンダに洗脳されて重光の理想を理解しようとしませんが、当時、欧米植民地主義からのアジア解放という大義を掲げることができたのは日本だけでしたし、それも、重光葵という人材あってのことでした。

同会議にはビルマの初代国家代表のバー・モウ、中華民国の初代首席・汪兆銘、インドのチャンドラ・ボース等が出席しており、大きな意義のあるものだったのです。中西輝政《なかにしてるまさ》京都大学名誉教授は、「今日、日本人が『あの戦争』を語るとき、『しかし、アジアの解放という意義があったのではないか』と口にし得るのは、全く重光のおかげだと言ってよい」と述べています（「歴史通」２０１１年9月号・ワック社）。

敗戦……再び外相を拝命し、降伏文書に調印

日本は焦土となって敗戦しますが、それでも重光が歴史の舞台から去ることはありませ

んでした。重光は、敗戦直後に組閣された東久邇宮稔彦王《ひがしくにのみやなるひこおう》内閣で外務大臣に再任され、1945年（昭和20年）9月2日、東京湾に停泊したアメリカ戦艦「ミズーリ号」甲板上で執行された連合国への降伏文書調印式において、大本営代表の参謀総長梅津美治郎《うめづよしじろう》とともに日本全権として降伏文書に署名を行いました。

戦争回避のために全力を挙げていた人間が、敗戦を背負って降伏文章に署名するとは、何という悲劇でしょうか。しかし重光は誰もが忌避する役目を拒まず、自らの責任を全うします。

そして、その時の心情を次のように歌に詠《よ》みました。

願わくは　御国の末の栄え行き　吾名さげすむ人の多きを
（将来、私の名を多くの人が蔑むほどに日本国が栄えますように）

ミズーリ号上での調印秘話

調印式において、想定外の事件が起こります。

連合国側は、まず連合国軍最高司令官ダグラス・マッカーサーが4連合国（米、英、ソ、中）を代表するとともに、日本と戦争状態にあった他の連合国を代表して署名を行いました。その後、以下の各国代表が署名しました。

アメリカ代表：チェスター・ニミッツ海軍元帥
中華民国代表：徐永昌《じょえいしょう》上将
イギリス代表：ブルース・フレーザー海軍元帥
ソ連代表：クズマ・デレヴャーンコ中将
オーストラリア代表：トーマス・ブレイミー陸軍元帥
カナダ代表：ローレンス・ムーア・コスグレーヴ陸軍大佐
フランス代表：フィリップ・ルクレール陸軍大将
オランダ代表：コンラッド・ヘルフリッヒ海軍中将
ニュージーランド代表：レナード・モンク・イシット空軍中将

降伏文書は2通作成されたのですが、そのうちの1通（日本側保有）はカナダ代表が署名の箇所を一段間違ったため、以後の代表は署名欄を一段ずつずらして署名するという事態になってしまいました。

具体的に言うと、日本用文書にカナダ代表のコスグレーブ大佐が署名する際、1段飛ばしたフランス代表の欄に署名してしまったのですが、次のフランスのルクレール大将はこれに気づかずオランダ代表の欄に署名。続くオランダのヘルフリッヒ中将が間違いに気づいて指摘しますが、マッカーサーにそのまま続けるように指示されたため、仕方なくニュージーランド代表の欄に署名しました。その結果、最後の署名者であったニュージーランドのイシット中将は、欄外に署名するということになってしまいました。

その後、マッカーサーと連合国側代表は祝賀会の席に移動しましたが、オランダ代表のヘルフリッヒ中将はその場に残り、日本側代表団の岡崎勝男《おかざきかつお》に署名の間違いを指摘します。マッカーサー元帥の参謀長リチャード・サザーランド中将は日本側にこのまま受け入れるよう要求しますが、重光葵外相は「そのような不備な文書では枢密院の条約審議を通らない」と断固拒否。岡崎はサザーランドに各国代表の署名し直しを求めますが、サザーランドはすでに祝賀会が始まっているとしてこれを拒否。一歩たりとも引かない重光の前に、結局サザーランドがマッカーサーの代理として間違った4カ国の署名欄を訂正することになりました。

敗戦を背負いながら毅然と行動した重光の気骨を示すエピソードです。

ちなみに、このサイン入りの降伏文書は現在ネット上で見ることもできます。

暴論を通そうとしたマッカーサーに決死の猛抗議

ところが、その直後にさらにとんでもない大事件が起こります。

なんとマッカーサーは、日本の主権を認めるとしたポツダム宣言を反故《ほご》にし、軍政を敷く方針を突如として表明したのです。用意された布告には次のように書いてありました。

「**日本國民ニ告グ**」(9月3日午前10時)

布告第一号：立法・行政・司法の三権は、いずれもマッカーサーの権力の管理下に置かれ、管理制限が解かれるまでの間は、**日本国の公用語を英語とする**。

布告第二号：日本の司法権はGHQに属し、降伏文書条項およびGHQからの布告および指令に反した者は軍事裁判にかけられ、死刑またはその他の罪に処せられる。
布告第三号：日本円を廃し、B円と呼ばれる軍票を日本国の法定通貨とする。

知らせを聞いた重光はマッカーサーに面談し、烈火のごとく猛抗議します。

「ドイツは政府が壊滅し軍政を敷いたが、日本政府は壊滅していない。天皇陛下はポツダム宣言の忠実な履行を決意しておられる。そもそも陛下は元来戦争に反対し、平和維持に熱意を示され、戦争の終結にも決定的な役割を演じられたのである」

と、マッカーサーを説得しました。

激論の末、マッカーサーは重光の意見を聞き入れ、GHQの占領政策は日本政府を通した間接統治となりました。


知らせを聞いた重光はマッカーサーに面談し、烈火のごとく猛抗議します。

「ドイツは政府が壊滅し軍政を敷いたが、日本政府は壊滅していない。天皇陛下はポツダム宣言の忠実な履行を決意しておられる。そもそも陛下は元来戦争に反対し、平和維持に熱意を示され、戦争の終結にも決定的な役割を演じられたのである」

と、マッカーサーを説得しました。

マッカーサーは重光の意見を聞き入れ、GHQの占領政策は日本政府を通した間接統治となりました。

その時マッカーサーは、重光に「今後何かあったらいつでも自分に会いに来るように」と言います。真正面から正論を掲げて議論してくる重光に好感を持ったのでしょう。

戦後、日本人は絶対権力者だったマッカーサーを神のように敬いましたが、重光の決死の猛抗議がなかったら、日本は軍政下に置かれ、直接統治されていたのです。

この事実はあまりにも重大なのに、なぜか学校ではいっさい教えません。

その重大さについて、中西輝政《なかにしてるまさ》京都大学名誉教授は次のように発言しています。

「これは重光外交の真に『歴史に残る偉業』と評することができよう。もし、あの時、日本に軍政が敷かれていたら、戦後の日本は全く違う国になっていたろう。その結果、おそらく日本の民族性にも関わるほどの影響を残していたはずである」

（前掲書）

しかし、この後、東久邇首相と木戸幸一《きどこういち》内大臣は、マッカーサーの意向を参酌できる人間に外相を代えようと決め、重光を更迭して吉田茂を登用するという致命的なミスを犯します。

これが吉田茂の政治家デビューとなりました。

重光がただひとり、威厳を保ちながらGHQと渡り合っていたのに対し、他は全員マッカーサーに迎合していたのでした。東久邇宮は7年間もフランスに留学していながら、毅然とした人間でなければ尊敬されないという事実を理解していなかったのでしょうか。

マッカーサーは帰国後、議会で「日本人は勝者にへつらい、敗者を見下げる傾向がある」と発言したと伝えられていますが、おそらくそれは全くその通りだったのであり、それ故に隷従主義の吉田茂を立て、今日に至る属国体制に繋がってしまいました。

この時に日本の戦後の運命は決まっていたのかもしれません。

英国の擁護むなしく、重光を憎んだソ連の主張により巣鴨《すがも》プリズンに収監

重光の貢献は、日本の属国化を進めた吉田茂とは対照的です。

英米は自らの命を顧みず、日本国のために粉骨砕身する重光の存在を認め、尊敬していたので、東京裁判においても重光を戦犯に問う意思は全くありませんでした。

英国にもアメリカにも「敵ながら天晴《あっぱ》れ」の感覚は存在しているのでしょう。

英国などは、「重光は決して戦犯にあらず」と擁護したのですが、対ソ強硬派外交官としての重光の辣腕《らつわん》に恨みを持つソ連の代表検事が、「重光を起訴しないのなら裁判に参加しない」と強硬に主張してきました。結局、キーナンらアメリカ検事団も妥協を余儀なくされ、重光は逮捕収監されてしまいます。

判決は禁固7年。A級戦犯の中では最も軽いものとなりましたが、それでも4年7カ月の長きに渡って巣鴨拘置所での服役を強いられました。

片足を失った不自由な身体で、劣悪な環境と屈辱的な扱いに耐えながら、服役中に独房で書き綴ったのが『巣鴨日記』です。その間、二度も狭心症の発作に襲われ、常人なら絶望のあまり自殺すらしかねない状況下で、なお緻密な思考力を維持し、公判に耐え、精緻な日記を書き続けた重光の精神力には驚嘆せざるを得ません。戦後教育を受けた日本人にはとうてい真似できないと思わせる強靭さが重光にはありました。

巣鴨日記は、〝復讐劇としての東京裁判〟の実態、検事、裁判長、弁護人らの言動、A級戦犯として捕らえられた人々の横顔、重光の思想などが詳細に記された貴重な資料です。ハート出版から新字体・現代仮名遣い版の巣鴨日記が出版されたので、ぜひご参照ください。

1950年(昭和25年)、63歳になっていた重光はついに釈放されますが、それでも天は重光に任務を与え続けます。

サンフランシスコ講和条約が発効し、公職追放が解除されると、重光は衆議院議員に3回選出され、改進党総裁や日本民主党副総裁を務めます。

吉田茂を好敵手とし、総理大臣指名一歩手前まで行きます。そして1955年(昭和30

年）、保守合同による自由民主党の結党に参加します。今の自民党からは想像もできませんが、結党当時の自民党にはかくも立派な先輩がいたのでした。

日本を再び表舞台へ
――ダレスとの歴史的会談、重光を迎えた国連加盟国の万雷の拍手

1955年（昭和30年）、第二次鳩山一郎《はとやまいちろう》内閣で副総理兼外務大臣に任ぜられた重光は、再び外交の表舞台で国を背負って奮闘します。

アメリカへ出張した重光は、アイゼンハワー政権の国務長官で日米安保条約の生みの親と言われていたダレスと会談を行いました。

吉田の従米路線の修正を試みた重光は、日本の独立国家としての自主性の回復を目指し、日本の完全な再軍備と対等な日米関係を求め、「アメリカが日本を半独立国家に押し留めるつもりはないことを確認したい」と迫り、ダレスを驚かせました。

（『重光葵と戦後政治』武田知己《たけだともみ》著　吉川弘文館）

さらに、ソ連の妨害を受けながらも国連加盟を目指し、１９５６年12月18日、国連総会において、ついに日本の国連加盟が承認されました。加盟76カ国の全会一致による承認でした。

国連加盟受諾演説を担当した重光は、次のようなスピーチを行い、出席していた加盟国の代表団から万雷の拍手で受け入れられました。

「わが国の今日の政治、経済、文化の実質は、過去一世紀にわたる欧米及びアジア両文明の融合の産物であって、日本はある意味において東西の架け橋となり得るのであります。このような地位にある日本は、その大きな責任を充分自覚しておるのであります」

その歴史的瞬間の後、重光は国連本部の前庭に自らの手で日章旗を掲揚しました。はためく日章旗をじっと見上げる重光の後ろ姿を見た娘の華子《はなこ》は、溢れ出す涙を堪《こら》えることができませんでした。重光はその時の心境を次のように詠んでいます。

霧は晴れ　国連の塔は　輝きて　高くかかげし　日の丸の旗

ニューヨークを去る際、重光は同行した加瀬俊一《かせとしかず》国連大使（ミズーリ号上でも一緒だった）に、「もう思い残すことはないよ」と笑顔で語り掛けました。

1957年（昭和32年）1月26日、国連総会から帰国してひと月後、重光は奥湯河原《おくゆがわら》の別荘で急逝《きゅうせい》します。釈放されてから6年間、重光は文字通り、残された命を国家のために燃やし尽くしたのです。

戦前はギリギリまで戦争回避に尽力しつつ、いったん開戦してからは勝つための外交とアジアの解放に務め、戦後はGHQと戦い、戦犯として懲役に服し、独立後は日本の国際社会復帰に貢献した重光。

いかなる状況においても諦めず、逃げもせず、降伏文書への署名と、国連加盟受諾演説の両方を行うという数奇な運命を辿《たど》った重光は、一貫して国家を背負い続けました。

そして使命を終えるや、突然この世を去りました。

まさに吉田茂と対照的な重光葵。かつてこのような人物が存在したことを、日本人は決して忘れてはならないと思います。ところが現代の日本人は、かなり意識が高い人でも、外務省職員でさえも、重光葵を知らない人が多いのです。

真の愛国者は占領軍にとって疎ましい存在であり、その意を汲んだ日本政府は重光を日本人の記憶から遠ざけてしまいました。

8月15日が近づくたびに、「今日《こんにち》の日本の繁栄はお国のために命を捧げた英霊のおかげ」という声が聞こえてきます。靖国神社にも参拝の長蛇の列ができます。しかし、私には英霊たちのこんな声が聞こえてきます。

「自分たちは戦勝国の属国であることに甘んじ、享楽的に生きる日本のために死んでいったのではない」

三島由紀夫《みしまゆきお》は、死の数カ月前にこんな言葉を残しています。

「私はこれからの日本に大して希望をつなぐことができない。このまま行つたら、「日本」はなくなつてしまうのではないかといふ感を日ましに深くする。日本はなくなつて、その代わりに、無機的な、からつぽな、ニュートラルな、中間色の、富裕な、抜目がない、或る経済的大国が極東の一角に残るのであらう」

（果たし得てゐない約束――私の中の二十五年）

今の日本は、もはや富裕でも、抜け目ない経済大国ですらありません。経済的に没落した日本には何も残らず、憐れにも従順な属国根性が残っただけです。

三島由紀夫の想像をずっと超えたところまで堕ちてきてしまいました。

吉田ドクトリンを期限付きの暫定的なものにせず、70年以上も続けてきたら、完全に属国化するのは当たり前です。

それを避けようとした重光葵の精神こそを、今我々は取り戻さなくてはならないのです。

3 今もなお日本を縛り続けている密約とは

日米行政協定→日米地位協定という、裏の最高法規

さて、日米安保条約が批准されても、条約というのはあくまでも枠組みですから、詳細は別に決める必要があります。

日米安保条約の目的は、米軍が占領中の既得権益をそのまま維持する、つまり、合法的に占領を継続することでした。その詳細な取り決めを行ったのが、安保条約第3条に示され、別に結ばれた**日米行政協定**です。

日米行政協定は1952年2月28日に、吉田茂の側近で担当大臣だった岡崎勝男と米側交渉担当のディーン・ラスクによって、国会審議を経ずに東京で署名されました。つまり、国民が知ることなく結ばれた「**密約**」だったのです。

その結果、占領期から米軍などによって接収されていた区域や施設などについて、特段の取り決めがされない限り、合意がなくても、そのまま米軍が利用できることになりました。契約の無限自動延長というわけです。

日米行政協定は、サンフランシスコ平和条約および、旧日米安全保障条約と同日の1952年4月28日に発効しました。つまり、**主権回復と独立は、最初から完全なまやかしだった**のです。吉田と岡崎は意図的に議会や国民の目に触れぬようにそれを進めました。

その後、1960年に日米安保条約が改訂されますが、本質は何ら変わりません。

それに伴って、日米行政協定は日米地位協定と名称を変えますが、こちらも本質は変わらず、今日に至るまで継続しています。日米地位協定は米軍の特権的地位を認めるものですから、これによって〝とてつもない特権〟が認められています。

日本上空に多数存在する「民間機が侵入できない空域」の秘密

「アルトラブ」という言葉を聞いたことがあるでしょうか？

ここは日本ではない（制限されている横田空域のイメージ図）

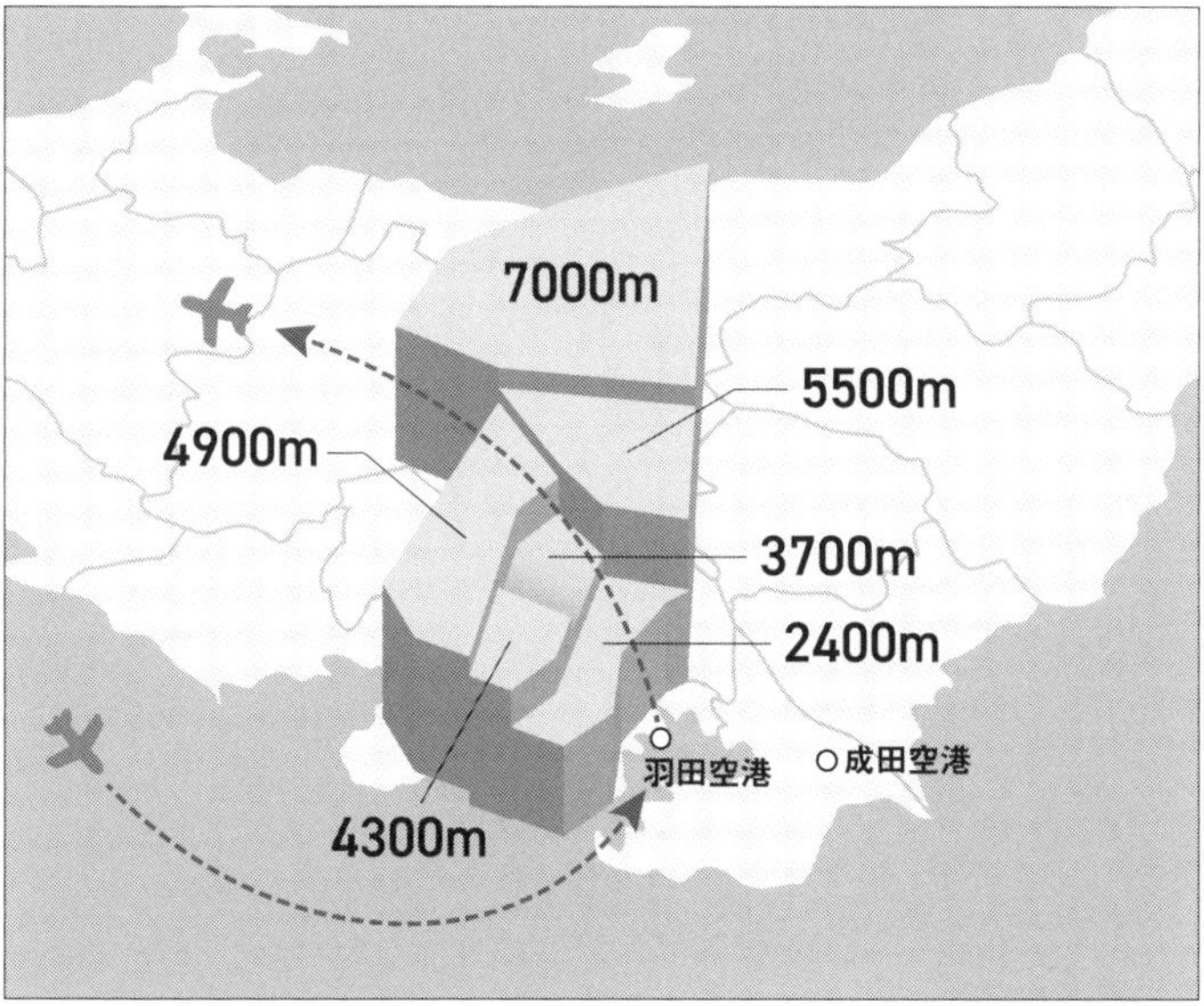

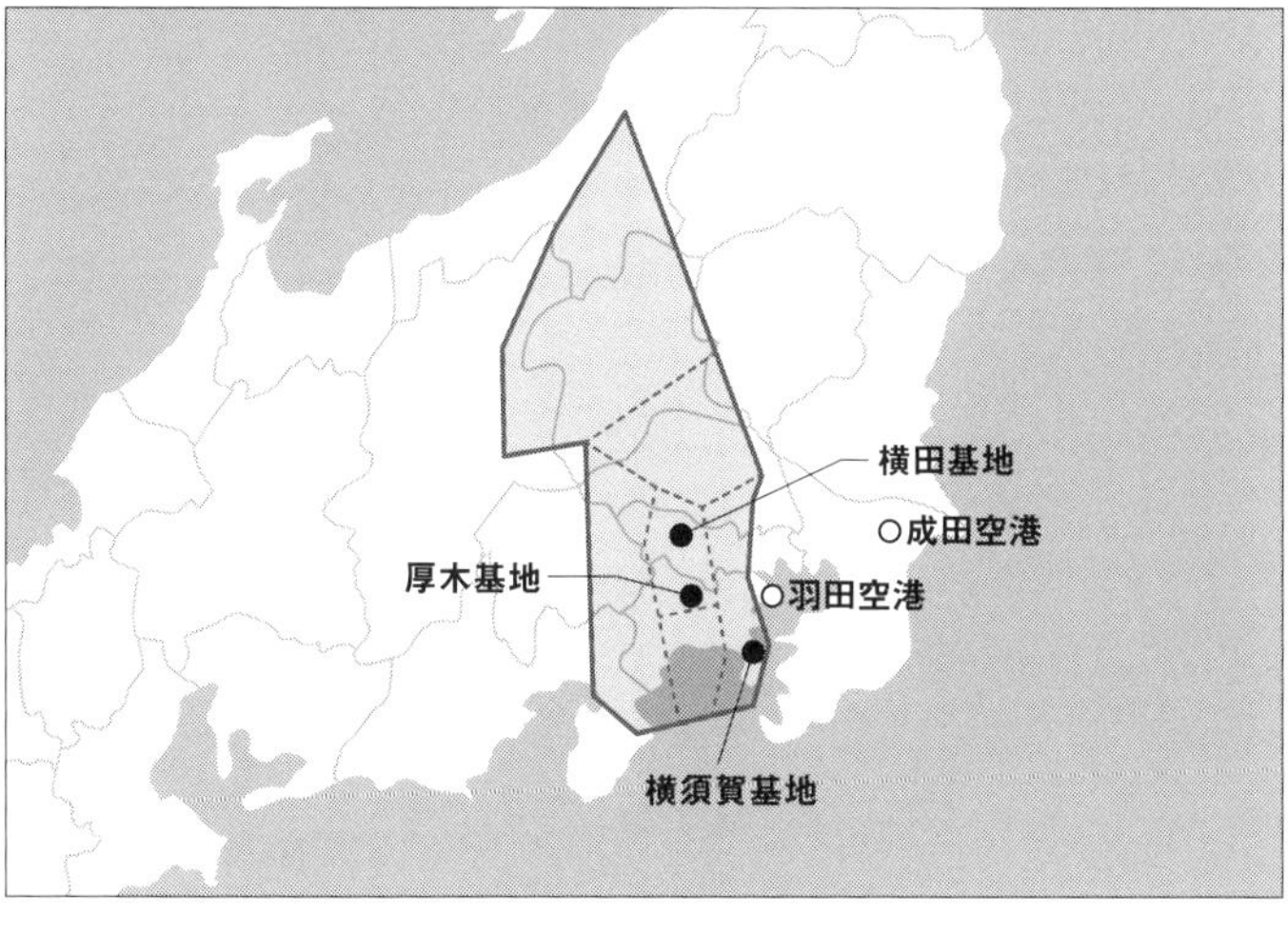

パイロットはもちろん、航空業界で働く人は誰でも知っているはずですが、マスコミにはほとんど出てきません。

これは、日本国の上空に広がるアメリカのことなのです。

どういうことか？　米軍基地の上空には広大な制限空域があります。

米軍の使用だけが認められ、民間機の侵入は許されません。ＪＡＬもＡＮＡも、もちろん飛ぶことを許されません。

有名なのが横田《よこた》空域です。横田基地は東京の多摩地域にありますが、横田基地が管理する横田空域は、山梨県や新潟県を含む１都９県に及びます。高度約２５００メートルから最高約７０００メートルの階段状の巨大空域で、日本の民間航空機などはこの空域を飛ぶことが許されません。羽田空港から西日本や沖縄に向かう旅客機が、最短距離を飛ばず、いったん沖に出て迂回していくのはそのせいです。この巨大な支配空域のために、日本の民間機は余分な距離と燃料の使用を強いられているのです。当然、時間も余分にかかっています。

横田空域と同様のものが、山口県の岩国基地上空や沖縄上空にも設定されているのです。

この、米軍が支配する空域のことをアルトラブ（ALTRV）と呼びます。

国土交通省航空局の航空管制機関が、米軍の要請を受けて、一定の空域を一定の期間、航空管制上の通知でブロックし、米軍機以外の民間航空機などの飛行を禁じ、米軍専用の空域とするものです。

情報は非公開で航空路図にも非記載なので、幻の空域と呼ばれています。アルトラブは固定された空域だけではありません。米軍は訓練などの必要に応じて、日本の領空内のどこにでも暫定的にアルトラブを設定することができます。飛行中の燃料補給機と戦闘機の編隊とともに移動することもあります。

それは当然、民間機の定期便ルートを圧迫し、悪天候回避の障害にもなります。眼前に雷雲が発生しても、アルトラブの存在によって回避行動が取れなければ、そのまま雷雲に突入するしかありません。

沖縄での基地問題も、全ては日米安保条約と日米地位協定に基づいていますから、日本政府はせいぜい沖縄に補助金を注ぐくらいしかできることがありません。

米軍は、好きな時に好きな場所で低空飛行を含むさまざまな訓練を行う権利を完全に保有していますし、住民を疑似標的にして訓練していたという話まであります。米兵が交通事故を起こしても、公務中と見なされれば罪に問われませんし、仮に強姦などの罪を犯しても、米軍が先に犯人の身柄を拘束した場合は、日本側が起訴するまで身柄の引き渡しを要求できません。米軍機やヘリコプターが墜落しても、米軍の資産回収という名目で、米軍が勝手に現場を封鎖して機体を回収することができます。

2004年にあった沖縄国際大学への米軍ヘリ墜落事故のことを覚えておいでの方はいるでしょうか。

8月13日の午後2時15分ごろ、普天間《ふてんま》飛行場に派遣されていた米海兵隊所属の大型ヘリコプター（CH‐53D）が、沖縄国際大学の本館ビルに墜落し、爆発炎上するという重大事故が発生しました。

宜野湾《ぎのわん》市消防本部に市民から通報が入り、必死の消火活動で午後3時過ぎには鎮火。夏休み期間中だったこともあり、幸い学生や市民にケガ人は出なかったものの、大学本館に激突した全長23メートルの大型ヘリコプターの回転翼で削られたコンクリート片は、近隣の民家に被害を与えました。

米軍は、消火活動を終えた宜野湾市消防を現場から立ち退かせ、墜落事故現場を制限して大学構内を占拠しました。事故現場を訪れた大学学長や宜野湾市長の立ち入りも認められず、大学構内が米軍の管轄・管理下に置かれることになりました。

翌日、沖縄県警は米軍に対して合同現場検証の実施を求めましたが、米軍からの明確な回答が得られないまま3日が経過し、米軍は8月16日に墜落現場周辺の立木を大学の許可なく伐採、墜落機及び現場周辺の土壌を回収して基地へと持ち去りました。

墜落したヘリに搭乗していた米軍関係者3名が負傷したものの、奇跡的に民間人の人的被害はゼロ。物的被害については、民家等29戸、車両33台等の損傷が確認されました。

米軍ヘリ墜落事故への被害補償額としては、日本政府が2億5000万円を被害者に対して支払いました。内訳は、2億4300万円が沖縄国際大学に、その他周辺住民らに対しては1600万円が支払われたとのことです。

日米地位協定には「日米相互に援助しなければならない」との規定がありますが、実際には警察も大学の学長でさえ立ち入りを許されないのです。

また、米軍人とその関係者（家族や軍属など）は日本入国に際してパスポートもビザも求められません。税関も検疫もありません。基地に直接乗り込めばいいからです。これは各国首脳や外交官以上の待遇です。

アメリカの大統領が来日する際に、羽田も成田も使われたことがありません。大統領専用機・エアフォース1で直接横田基地に着陸し、そこからヘリコプターで六本木の米軍施設であるハーディーバラックスまで移動してくるからです。トランプ大統領はそこからさらにゴルフに出かけました。日米関係が表面上どんなに良好であっても、日本は間違いなく属国なのです。

日本の政策は日米合同会議で決められている?

さて、条約と協定があっても、それらを実務的に継続的に運用するためには定期的な会議が必要になります。それが日米合同会議と呼ばれる秘密会議です。月2回の秘密の会合として、米軍施設であるニュー山王ホテルで1回、外務省が設定した場所でもう1回行われているとされています。

名目上は1960年に締結された日米地位協定をどう運用するかを協議する実務者会議なのですが、原則非公開で実態が不明であり、密約を量産させているとも、この会議で米国側からリクエストされたことが、現実に日本の政策になっているという指摘も少なくありません。

その構成メンバーを見れば、かなり幅広い分野で話し合われていることが伺えます。

日本側代表：外務省北米局長
アメリカ側代表：在日米軍司令部副司令官。
日本側代表代理：法務省大臣官房長、農林水産省経営局長、防衛省地方協力局長、外務省北米参事官、財務省大臣官房審議官。その下に10省庁の代表から25委員会が作られている。
アメリカ側代表代理：駐日アメリカ合衆国大使館公使、在日米軍司令部第五部長、在日米陸軍司令部参謀長、在日米空軍司令部副司令官、在日米海兵隊基地司令部参謀長

在日米軍の運用に関する相談をするだけならば、このような陣容で定期的に会議を行う必要はないはずです。裏の実質的な政府機能だと噂される所以です。

この秘密会議の存在は総理大臣ですら知らされていなかったことを、奇しくも宇宙人と仇名された鳩山由紀夫《はとやまゆきお》氏が告白してしまいました。

かつて、自衛隊幹部ＯＢの方が私に言いました。

「日本という国は、昼間は日本政府が統治しているけど、夜は米軍が統治しているんですよ。つまり、二重統治なのです」

日本の現実と直面することは、プライドをずたずたに引き裂かれるようなものですが、私が問題にしたいのは、むしろ「とにかく毎日平和に暮らせているんだから、属国でも何でも構わない」と、令和の日本人が考えているように見えることです。

4 「歪められた言論空間」は、全体主義への一本道

今も続く「閉ざされた言語空間」を自覚できない日本人の悲劇

「閉ざされた言語空間」という言葉に聞き覚えがある人もいるでしょう。

文芸評論家の江《え》藤《とう》淳《じゅん》氏が、1979年年秋から翌年春にかけてアメリカに滞在し、アメリカの対日本検閲政策の実情について研究した成果をまとめた本が『閉された言語空間』（副題：占領軍の検閲と戦後日本・文春文庫）です。これは、日本の真実を知るための必読書だと思います。

「日本は軍国主義と全体主義の国だったが、アメリカによって解放され、民主主義と言論の自由を与えられたのだ」と、日本人は戦後ずっと教えられてきました。

いや、今もそう思っている人が99%くらいかもしれません。

しかし、現実は違っていたのです。

アメリカは、日本人が占領軍（GHQ）やアメリカを批判することを徹底的に禁じ、二度と立ち上がって自分たちに歯向かうことのないよう、「日本人の心性」を根本的に変えるべく、強烈な言論統制を行ったのでした。その象徴が次に示すプレスコード（報道機関への規制）です。GHQが設定したこのプレスコードによって、日本のメディアは以下のことに触れることを厳重に禁じられました。

・連合国軍最高司令官、総司令部に対する批判
・占領軍に対する批判
・極東国際軍事裁判の批判
・GHQが日本国憲法を起草した事に対する批判
・検閲制度に対する言及
・米国、ソ連、英国および連合国の批判
・中国、朝鮮への批判

・満州での日本人への処遇に関する批判
・戦前に行われた連合国の政策への批判
・第三次世界大戦や冷戦に関する言及
・戦争擁護、神国日本、軍国主義の宣伝
・ナショナリズムや大東亜共栄圏の宣伝
・戦争犯罪人の正当化、擁護報道
・闇市に関する報道と、飢餓の誇張
・占領軍兵士と日本人女性の関係に関する報道

厳しい検閲は全国紙の朝日・毎日・読売・日経・東京新聞などはもちろん、通信社、大手出版社、地方紙や学術論文、文学作品、ラジオ放送、手紙、電話などほぼすべての媒体に対して行われました。

支配する鉄則の一つは、冒頭で恐怖を味わわせることでしょう。見せしめです。

重光が降伏文書に調印して、まだ2週間も経たない1945年9月14日、午後5時29

分、まず「同盟通信社」が占領軍当局から24時間の業務停止命令を受けます。業務再開時には、「同社の通信は日本のみに限られ、同盟通信社内に駐在する米陸軍代表者により100%の検閲を受ける」こととなりました。この同盟通信社は、その後、占領軍当局によって解体され、現在は共同通信社と時事通信社になっています。

次いで、「朝日新聞」は9月18日午後4時から9月20日午後4時まで48時間の発行停止、英字新聞「ニッポン・タイムズ」は、9月19日午後3時30分から20日同時刻まで24時間の発行停止、10月1日には「東洋経済新報」の9月29日号が占領軍当局から回収を命じられ、断裁処分に付せられていたのです。

以上、『閉された言語空間』の冒頭から、占領軍が日本のメディアに与えた強烈な先制攻撃の一部についてまとめてみましたが、この「見せしめ」によって日本の全報道機関は大激震を受けます。通信社の業務停止、新聞の発行停止、出版物の回収、断裁。これ以上の脅しはありません。その時震え上がった恐怖は、今も同じように続いているはずです。

そしてGHQ自身は徹底的に日本の言論機関への統制を行いながら、日本政府に対しては日本国民への言論統制を禁じていました。

日本のメディアは戦前戦中に苦しんだ大本営からの厳しい統制がなくなり、英語も使うことが許されるようになって自由を得た気分でしたが、あくまでも占領軍が設定したプレスコードに抵触しない範囲での自由であり、アメリカという戦勝国が設置した「占領のフレームワークの中の自由」だけを享受することが許されていたのです。

江藤淳氏は、ワシントンDCにあるウィルソン研究所、メリーランド大学付属マッケルディン図書館、スートランドの合衆国国立公文書館分室に通い、貴重な一次資料を発掘し、そこで得られたエビデンスをもとに、緻密な考察を重ねて、占領軍による検閲のための思想と実施の全容を解明しようとしました。その価値は素晴らしいもので、知識人の間では話題になりましたが、他のメディアが大きく取り上げることはありませんでした。

この事実が広く人口に膾炙《かいしゃ》するようになったのはずっと後のことで、たとえば、高橋史朗氏が「WGIP（ウォー・ギルト・インフォーメーション・プログラム）と歴史戦」という本を出版したのは2019年ですから、江藤淳の著作から30年の年月を経ていることになります。時代はこの間に「活字」から「ネット」に切り替わっており、国民の情報へのリーチの仕方が変容したこともあって、ようやく戦後の占領政策によって日本がいかに歪められてきていたかを多くの人が認識することになります。

日本の言論空間の歪みはさらに進んでいる

日本では言論の自由が保障されていると感じている方は多いことでしょう。総理大臣も皇室のことも自由に批判できます。その点は、北朝鮮とかなり違うでしょう。

しかし、実は未だに戦勝国から宗主国になったアメリカにとって都合の悪い言論は許されず、アメリカが許容する範囲内でしか言論の自由が許されていないことに、日本人は気づいていません。気付いていないどころか、日本の主流派言論人やジャーナリスト、学者たちはこぞってアメリカの意向に忖度《そんたく》しているように見えます。

それが意識的なのか、無知によるものか、浅慮からなのか不明ですが、真実を伝えようとしても、広告主や、広告主へのアピールをビジネスにしているロビイストなどが制作現場にさまざまな圧力をかけるため、自らの保身のためにはそのような論評しかできないということかもしれません。ジャニーズ事務所の問題一つを見てもわかるとおりです。

放送コードは、一般的な倫理的常識に基づいたもの以外に、ポリコレ的規準の変容や、それ以外のさまざまな思惑を反映して変化します。

「これについては言ってはいけない」というフィルターがかかっている限り、本当に客観性を保った包括的な視点が持てなくなってしまっています。

テレビでは言えないけれど、インターネット番組でなら言えるということはあります。しかし、そこで言論の自由が保障されているかというと全く違います。

インターネット上のプラットフォームとしては最大の動画サイトであるYouTubeも、極めて恣意的な基準で厳しく検閲される場となっています。

YouTube上に言論の自由は全くありません。そして、そのことに気づいていない人が大半だということは、たいへん恐ろしいことです。つまり、「自分が見ている映像こそが世界で起きている事実だ」と信じているのだけれど、「そう感じるように完璧に操作されている空間」かもしれないということです。

なぜ気づかないのでしょう？　それは、YouTubeが多くの視聴者に見せたくないと判断した「言葉」「内容」の含まれた動画を即座にBANしてしまうからです。

ネット上の「焚書坑儒」が大手を振って行われているから、そうした情報は「地球上に存在しないこと」になってしまうのです。

「報道しない、させない」という圧力をメディアにかけることを含めて情報を完全にコントロールすることによって、グローバル全体主義は完成に近づいています。

かつて英国の作家、ジョージ・オーウェルが描いたディストピア小説『１９８４』は、すでに実現されていると嘆く人も増えています。

この「歪められた言論空間」のスタートラインは、おそらく１９７０年のローマクラブあたりかではないかと考えられます。近年、特に歪みが加速度を増してきたと感じられるのは、「地球温暖化」、「コロナ・パンデミック」、「ワクチン」、「イベルメクチン」、「２０２０年米国大統領選挙」、「ロシア・ウクライナ戦争」をめぐる報道に関してではないでしょうか。

情報操作されているということは、ある意味「情報鎖国」されているということです。古来、プロパガンダは常に「間違った情報」の中に一部「正しい情報」を入れ込んで実行されてきました。その手法は変わらず、ただ巧妙化しているだけです。

情報に関しては、「開国」することを考えないと、頭の中を全てコントロールされてしまいます。

一方的な「ウクライナ戦争報道」を疑え！

情報操作が疑われる例としては枚挙にいとまがありませんが、ウクライナ戦争の報道についても見てみましょう。

そもそも、戦争においては双方が最高度の情報戦・謀略戦を展開しているわけで、どちらか一方の主張を鵜呑みにしても、実像は見えてこないという前提で考えるべきです。

ロシアによるウクライナへの侵攻は、国際法違反として西側諸国から強く非難され、日本も経済制裁に加わったり、ウクライナに支援物資を送ったり、多額の資金を援助したりと、ロシアを非難する側の一員となっています。

確かに、東部ドンバス地方で攻撃を受けているロシア系住民を守るという大義からしたら、いきなり首都キエフやハリコフへの攻撃は逸脱であり、国際法違反の非難を受けるのは明らかです。この首都への電撃攻撃は、ほとんどの人にとって予想外で、プーチンをよく知る安倍元首相も「まさか」と驚いた一人でした。

侵攻直後の報道では、「ロシアの情報機関トップが、ウクライナ政府はすぐに降伏し、ロシア軍は住民に歓迎されるだろう」とプーチンをミスリードしたという情報も流れました。東部に限定した作戦ならば、ホワイトハウスも「従来からの逸脱ではない」と言っていたように、世界の受け止め方はかなり違ったものになっていたであろうに、なぜプーチンは首都制圧を目指したのか。冷静なプーチンらしからぬと世界が驚きました。

情報機関のミスリードもあったかもしれませんが、侵攻の前年にプーチンがクレムリンのサイトに上げたウクライナ向けメッセージを読むと、プーチンがいわゆる「ユーラシア主義」に基づいて行動していることがわかります。

「ユーラシア主義」とは、もともと1917年のロシア革命でヨーロッパに亡命した知識人や貴族らが「自分たちにとってロシアとは、ヨーロッパにもアジアにも属さない、独自の空間で独自の民族的価値観を持っている」とする考え方です。

ソ連崩壊後、この考え方が、アレクサンドル・ドゥーギン元モスクワ大学学部長らの提唱する「新ユーラシア主義」として復活します。これは、世界規模でグローバリズムを推し進めるシー・パワーのアメリカ覇権主義に対抗して、ユーラシア大陸に位置するランド・パワーのロシアが中心となって、新たなブロックを形成するという考え方です。

この戦略に沿った発想として、「ロシアとベラルーシとウクライナは民族的にも文化的にも宗教的にも同じひとつの民族なのだから、今こそ昔のように一つにまとまろう」というプーチンのメッセージが出てくるわけです。日本に対しても、こちら側に立ってくれるのであれば北方領土を返そう、という発想になります。

ロシアを中心とする「非欧米圏」の確立です。

このような戦略があるので、プーチンはトランプに「ウクライナがほしい」と言ったそうですが、トランプは「それは絶対にダメだ」と答え、プーチンもそれに従ったとトランプ前大統領が回顧しています。

この「新ユーラシア主義」に基づく戦略と思想を、ロシア帝国復活を目指す帝国主義思想と批判することは可能でしょう。しかし、ここで問題なのは、「アメリカ、ヨーロッパ、ウクライナ側」にとって都合の悪い情報は全て、「嘘」か「なかったこと」にしてしまうという態度です。

事実として、2015年ぐらいまでは、露骨な民主党寄りメディアであるCNNでも、ウクライナ問題として、ポロシェンコ政権下でドンバス地方が激しい砲撃に晒され、ロシア系ウクライナ人の住民が殺されたり大けがを負っていることを熱心に報道していました。

国連人権委員会やアムネスティ・インターナショナルも複数報告していたように、ドンバス地方の住民に対する差別や弾圧、武力攻撃があったことは西側も普通に報道する歴然たる事実だったのです。

ところが、ロシアがウクライナに全面侵攻して「ロシア＝悪」という図式が確立すると、一瞬にして「こちら側」にとって都合の悪い事実は全て雲散霧消してしまい、そのことに視聴者も疑問を持とうともしません。

ロシアによる侵攻が国際法違反で非難すべき行為だとしても、その前提としてあった人権侵害の事実は事実として客観的に把握しておくことが大切なはずですが、そうした客観的な姿勢が顧みられることはありません。

以下に挙げる客観的事実を事実として認識することは、ロシアの行為を肯定することではありませんが、言及するだけでロシアを擁護しているかのように非難されてしまいます。

・ゼレンスキーは「ウクライナは我々が作った」と豪語する極左グローバリストのユダヤ人、ジョージ・ソロスの支援で大統領になった。
・ユダヤ人富豪のコロモイスキーが資金援助して、ナチ思想を信奉するアゾフ大隊らの私兵集団を作り、内務省に組み込んだ。
・アゾフ大隊などの私兵集団が東部のロシア系住民弾圧に関与していた。

・現・米国国務次官であるビクトリア・ヌーランドら、ウクライナ系ユダヤ人のネオコンが工作して2014年のマイダン革命による政変を引き起こした。
・ウクライナは、ヨーロッパで最も汚職の酷い国で、バイデン親子と癒着していた。

日本の報道機関によるウクライナ戦争報道は、極めて幼稚

ミンスク合意に関しては、驚くべき報道もありました。2022年12月7日付のドイツ紙「Die Zeit」のインタビューに応じたメルケル元首相が次のように語ったというのです。

「2014年のミンスク合意は、ウクライナの時間稼ぎの試みでした。ウクライナはこの時間を使って、今日のように強くなりました。2014年～2015年のウクライナと現在のウクライナは同じではありません」

つまり、ドンバス地方に自治権を与えることで戦争を終わらせる目的で署名されたミンスク合意は、来《きた》るべき日のロシアとの戦争に備えてウクライナを軍事的に強化するための時間稼ぎに過ぎず、最初から自治の約束を履行する気はなかった、というわけです。極めて背信的と言わざるを得ません。

もし、欧米がウクライナをロシアとの緩衝地帯として保持する決意を厳密に実行し、当時の話し合いのとおりにミンスク合意が履行されていたら、たとえロシアに「新ユーラシア主義」があったとしても、ウクライナ侵攻を実行することはできなかったでしょう。

西側も、最初から嘘をついて騙すつもりだったのです。

ロシアのウクライナ侵攻が帝国主義的とも解釈できる「新ユーラシア主義」に基づく国際法違反だったとしても、欧米側にもウクライナに干渉し、利用し、ロシアを追い詰め、戦争に持ち込むことで大量の武器・兵器の在庫処理を進め、ついにはロシアを弱体化し、解体してかつてのエリツィン時代のように、きわめて豊富な天然資源を我が物にして大儲けしようと目論む、アメリカのネオコンやジョージ・ソロスのような勢力が存在することも、また厳然たる事実なのです。

ここで言うネオコンとは、かつての軍産複合体を基軸とした勢力で、巨額な資金をもとに、米国共和党、民主党双方にまたがって強力な支配・ロビイ活動を続けている勢力です。

アメリカ自身が戦争を起こす、あるいは仕掛けることによって最大利益を得られる勢力だとも言えます。そのために、ありとあらゆる情報を操作しているとも言われます。

ちなみに、先述したビクトリア・ヌーランド米国務次官の夫、ロバート・ケーガンはネオコンの理論的支柱とも言われる人物です。

ウクライナ戦争に関して言うと、日本のメディアも言論界も、欧米側のダークな部分がすっぽりと抜け落ちてしまうのは、なぜなのでしょう？

テレビや新聞で相対的で引いた見方をする人は、誰か一人でも出演しているでしょうか？　取材されているでしょうか？

「ゼレンスキー大統領は英雄、プーチンは悪魔」という大前提になっています。

ウクライナ側に存在している問題や、ＮＡＴＯ陣営側についての歴史的事実や問題点を客観的に指摘するだけで、「ロシアの肩を持つ気か！」「親ロ派か！」と気色ばむ人さえいます。

これは非常に深刻なことです。

なぜならば、ネオコンたちは次には台湾と日本を舞台に中国を相手として、東アジア版のウクライナ戦争を再現しようと考えているだろうからです。

日本にとっては、ネオコン思想が新ユーラシア主義と同等か、それ以上の脅威になり得るのに、そこだけは綺麗にスルーしてしまうのです。まるで戦後占領期のように、アメリカのダークサイドに触れることは一切ありません。

世界で起きている現実は、どれも単純な善悪二元論で解釈できるものではありません。善悪の判断の前に、事実を客観的かつ公正に把握する能力がなければ自国の防衛はできません。そのことを一番よく理解していて、「ロシアの行為を肯定するわけではありませんが、ロシア側の論理はこういうものです」と客観的に語れる唯一の政治家が、安倍元総理でした。

複眼的な報道が存在せず、どのテレビ局もどの新聞も、同じことしか言わない。この一面的な報道を、日本はかつて経験していたはずだと思います。大本営発表です。批判的な視点を持ちえない報道機関は、幼稚です。子どもが大人の口真似をしているにすぎないからです。

メディアを支配することこそが世論をコントロールするための一番の近道だということは、最も古くからの原則です。

欧米のメインストリームメディアの株式は、そのほとんどがグローバリストに保有されているため、そのニュースを肯定的に取り上げるか、批判的に取り上げるか、そもそも、その事件をニュースとして取り上げるかを含めて、管理されています。報道されるすべてのニュースには、あらかじめバイアスがかかっているとも言えます。

さらに加えて日本のメディアは、世界の現場に行き、自分の目と耳で複数のソースから取材し、分析して発信するのではなく、海外ニュースに関してはそのほとんどを、自社が契約している米国メディアによる報道を、ただ日本語に翻訳したものにすぎません。

日本人は戦後何十年も経ってから、占領軍によって言語空間が歪められていたことに気づき、憤慨し、今は自由でいるつもりながら、実は相変わらずアメリカにとって都合の悪い事実については語ることすら許されず、むしろ自ら率先してその歪んだ言論空間に飛び込んで踊ってしまっているのです。

その意味で、日本の戦後は全く終わっていないのです。

「核武装」を〝論じること〟すらできない日本の放送メディア

今の日本のメディアには、「媚中派」か「親米派」かという極端な2択しか存在していないように思えます。お花畑リベラルは論外としても、保守と認識されているマスコミや、それらと連携する知識人や言論人たちでさえ、ソ連、ロシア、北朝鮮、中国は批判できても、日本を属国状態に固定しているアメリカの対日政策からは目をそらし続けてきました。

つまり、「愛国者」を自認する人たちが、その実、日本の永久属国化を自ら進んで受け入れているという矛盾と思考停止が長く続いてきました。

そのことを奇しくも改めて思い出せてくれたのが、2022年11月6日にフジテレビ系で放送された「日曜報道 THE PRIME」に出演した木村太郎《きむらたろう》氏でした。

木村太郎氏といえば、元NHKのキャスターで日本を代表する知識人の一人です。

この日のゲストはフランスの歴史人口学者、家族人類学者のエマニュエル・トッド氏。世界情勢に関する数々の予言を的中させ、知の巨人とも呼ばれるトッド氏と木村太郎の議論が注目されました。

驚いたのは、木村太郎氏が番組冒頭から終始トッド氏に対して挑戦的だったことです。トッド氏は、「プーチン政権が崩壊することはない」と述べ、その理由について説明しました。ロシアの経済は思いのほか強靭で、かつ柔軟であり、ロシア国民はプーチンを支持しているというのです。これに対して木村太郎氏はこう反論しました。

「プーチン政権が崩壊するかしないか、ではなく、いかに崩壊させるかを議論すべきだ。

ヒトラーも経済政策に成功して人気があったが、ポーランドに侵攻した。プーチンもヒトラーのように殺さねばならない」

これは驚くほど強気の発言です。憲法9条平和主義の日本知識人の発言とはとうてい思えません。なんと外国の指導者を殺せと公共の電波で主張したのです。

これはアメリカでも言わないことです。

ところが、さらに異様なことがその後に起きました。

トッド氏が「日本は積極的な軍事政策を取るよりも、核兵器を持つことで中立的な立場が取れる」と主張すると、木村太郎氏は「それは日本では絶対になしだ!」とフランス語で拒絶し、番組は不自然にCMを入れてそのやり取りをストップさせてしまいました。

番組を見ていた私は、心底呆れました。

日本は自立した防衛力を持たない属国状態です。独力で日本の防衛ができません。その日本の知識人が外国の元首を「殺せ」とまで言いながら、自国防衛の要である核武装に関しては、〝**議論すら**〟拒否したのです。

完全な矛盾であり、思考停止です。

アメリカやヨーロッパの一部には、ロシアを徹底的に敵視し、プーチン政権を崩壊させるだけでは飽き足らず、ロシアを5つか6つの小国家に分割してしまえと主張する人たちが存在します。いわゆるネオコンであり、ウクライナは自分たちが作ったと公言してはばからないジョージ・ソロスたちがそうです。

また、日本にもそういう主張をする人たちがいます。

当初、ウクライナ戦争が長引けば長引くほど習近平は台湾侵攻を躊躇するので、日本には有利だという説がありました。

しかし、実際にはウクライナ戦争が長期化・泥沼化し、かつ周辺諸国を巻き込んで規模が拡大するようなことがあれば、日本と台湾にとって非常にまずい状況を作り出すことになります。なぜならば、NATOもアメリカも、兵器と弾薬を使い果たし、経済的にも疲弊して、極東での中国の軍事行動に対応できなくなってしまうからです。

逆に、潤沢な資源と食料を持つロシアと中国が結びつき、さらにインドや中東の産油国が加わることによって、ロシア側の戦争継続能力は維持されてしまっています。習近平が、この西側の疲弊と混乱を千載一遇の好機とばかり利用する可能性があります。さらに、核開発を進めるとされるイランとアメリカ・イスラエルが戦争を始めたら、習近平に絶好の機会を提供することになってしまいます。

アメリカの「核の傘」など、存在していない

木村太郎氏は、「核武装は日本では絶対になし」と拒絶しますが、日本を守ってくれるはずのアメリカの核の傘は、存在していません。

そもそも、核の傘という概念自体が幻想に過ぎないことを、アメリカの政府高官や研究者たちが実際に明らかにしていることを国際政治アナリストの伊藤貫氏が指摘しています。

核の傘とは、例えば中国が日本に対して核攻撃を実施するぞと恫喝《どうかつ》した際、アメリカが「日本を攻撃したらアメリカが中国本土を核兵器で攻撃する」と警告すること、と理解されています。これは、中国がアメリカ本土に届くICBMを保有していない場合に限っては機能する可能性があります。アメリカが中国を攻撃することはできても、中国はアメリカを攻撃できないからです。

しかし、アメリカ国防総省は2021年11月3日、中国の持つ核兵器数に関して、2027年には最大で700発の核弾頭を保有し、2030年までには少なくとも1000発

の核弾頭を持つであろう、と年次中国軍事力報告書で発表しました。

さらに現在、中国は猛烈なスピードで内陸部に多数のＩＣＢＭサイロを建設中だとも伝えられています。

アメリカが日本や他の同盟国を守るために、自国に核攻撃を受ける覚悟で他国に核攻撃を行うことはあり得ません。

その意味では、アメリカの核兵器を日本が保有するニュークリア・シェアリングも同じことです。アメリカが報復されることになる可能性のある核兵器の使用を、アメリカ大統領が許可することはあり得ません。

核攻撃にはカウンターフォース・ストライク、カウンターバリュー・ストライクという概念があり、前者は軍事施設がターゲットで、後者は都市部など民間人がターゲットとされています。いずれにせよ、最初の攻撃で相手の核施設を大部分破壊し、反撃能力を奪うことが基本となります。

逆に言えば、核の先制攻撃を受けても、報復のための能力を保持できることが重要となってきます。この理論に従えば、限定的な撃ち合いで終わる保証はなく、すぐに全面核戦争に発展してしまう恐れがあります。だから、アメリカは核保有国とは戦いません。

従って、核の傘はもともと存在せず、幻想かまやかしに過ぎないのです。

そんな状況で中国から核恫喝を受けたら、自ら核武装していない日本は、戦わずして終了し、降参する以外に手がありません。台湾が陥落した時点で中国の属国と化すでしょう。

アメリカの属国である立場から中国の属国へと所属替えになるわけですが、異民族である日本人にはチベットやウイグルのような過酷な運命が待っているでしょう。

だからこそ、中国の恫喝に屈しないためには、アメリカに依存するのでなく、日本自身が核武装を含めた防衛力の構築に自主的に邁進しなければならないのです。

木村太郎氏はこの現実を理解しているのでしょうか？

自国の防衛もままならない属国の立場で、外国の元首を殺せと主張し、欧州人の生活を破壊する第三次世界大戦勃発も厭《いと》わないような乱暴な発言をしておきながら、肝心の自国の防衛に関しては、欧州人のアドバイスを「そんなのは絶対になしだ」と、議論すらせずに遮ってしまいます。驚くべきことですが、戦後日本の主流派知識人のメンタリティを象徴しているとも言えるでしょう。


「ウクライナ戦争は徹底完遂してプーチンを倒せ！」

「核武装は日本では絶対になしだ！」

この二つを同時に言うことの矛盾を自覚していない木村太郎氏は、見事にアメリカが構築した日本統治のフレームワークの中で、アメリカの意向に沿った言論をする知識人だったのです。

そして、そのような態度こそが、洗脳された戦後日本人の姿であり、自主的な思考を変更できないが故に滅亡間際にある日本国の象徴なのです。

結局、日本は敗戦から何も学ばなかったのか？

属国の民となることを自ら進んで受け入れ、それを自覚すらしていない日本の戦後知識人も情けないですが、それには一度決めたことを自発的に変更することが苦手な日本人の国民性も強く影響していると私は考えています。

・作戦の前提となる状況が変わっても作戦を変更できない大本営と帝国陸海軍

・最後まで銃剣白兵戦にこだわった帝国日本陸軍
・最後まで艦隊決戦にこだわった帝国日本海軍
・占領軍が9日間で作った憲法を、78年にわたり、一字一句変更できない日本政府

日米安保条約は瓶《びん》の蓋《ふた》である、という話を聞いたことがある方も多いでしょう。在日米海兵隊司令官ヘンリー・C・スタックポール少将が1990年3月27日付ワシントンポスト紙で次のように発言しました。

もし米軍が撤退したら、日本はすでに相当な能力を持つ軍事力を、さらに強化するだろう。だれも日本の再軍備を望んでいない。だからわれわれ（米軍）は（日本の軍国主義化を防ぐ）瓶の蓋なのだ。

これは、アメリカの日本に対する不信感と潜在的恐怖心の存在を改めて印象付けたものでした。日米安保条約とは、もともと米軍の日本占領を継続するための条約でした。

その調印のシーンは前述のとおりです。

5条からなる条約の主眼は、米軍の日本駐留継続にあり、条約の期限も米国の日本防衛義務も含まれていませんでした。前述のとおり、安保条約署名に立ち会ったダレス国務長官顧問（当時）が「我々の望むだけの軍隊を、望む場所に、望む期間だけ駐留させる権利を確保するのが目的だ」と語ったことが有名です。

実は、「日本に独自の防衛能力（軍事力）を持たせない」という発想は、戦前、戦中からすでに存在していた、と国際政治アナリストの伊藤貫氏は指摘します。

真珠湾攻撃4カ月前の1941年8月にチャーチルとルーズベルトが会談し、日本を叩きのめしたら二度と日本に国防力を持たせないと合意しました。開戦前に、戦争終結後の話をしているところが凄いですが、開戦直後の1942年4月にも、ルーズベルトはソ連のモロトフ外相に会って同様のことを言っています。

1991年にソ連が崩壊した後、ペンタゴン（国防総省）が策定した防衛計画ガイダンス（Defense Planning Guidance ― 1992年2月18日付）が、非公開だったのにもかかわらず、1992年3月7日付のニューヨークタイムスにリークされてしまったことがありました。この米国の外交・防衛政策について書かれた文書は、他国からの潜在的な脅威を抑止し、独裁国家が超大国にのし上がるのを防ぐために、アメリカの単独行動主義と軍事的先制攻撃を行うという方針が示されており、帝国主義的だと広く批判されたのですが、そこにはソ連崩壊後の仮想敵国としてロシア、ドイツ、中国、日本が列記されていました。

このように、アメリカは〝日本を潜在的脅威とみなし、真の独立はさせず、全土に基地を置いて実質的な保護国とし、独自の防衛も外交も許さない〟というスタンスを継続してきたのでした。また、中国とは「日本だけには絶対に核武装させない」と約束していると も言われています。

核兵器の使用で日本人を大量虐殺したアメリカは、唯一の被爆国である日本にだけは核武装させたくありません。やはり、復讐が怖いのでしょう。むしろ、復讐を考えるのが普通だと思っているのでしょう。

岸田首相が熱心に忠誠を誓うNPT（核不拡散条約）は、日本とドイツをターゲットにしたものでした。「自分を縛り付け、絶対に自由にさせない」ことを誓っているのは、実に滑稽な話です。

日本は見せかけだけの独立国であり、実際には独立国の基本である自主外交も自主防衛もできないままの姿を晒しています。これは国家として屈辱的なことですが、日本政府はこの事実と正面から向き合うこともなく、あたかもアメリカは対等な同盟国《パートナー》で、日米安保条約は日本を守るために存在するかのようなポーズを続けてきました。そして外務省も、完全にアメリカが示すフレームワークの中だけで外交をしてきました。

そこから抜け出そうと努力し、核武装についても真剣に議論しようとしたのが、中川《なかがわ》昭一《しょういち》や安倍晋三でしたが、ともに非業の死を遂《と》げました。

付章

トニー・アボット
元オーストラリア首相
へのインタビュー

安倍元総理のかつての盟友は、
日・豪と世界をどう見ているか

2020年10月、オーストラリア・シドニーにて

2022年10月、私はオーストラリアを訪れました。訪問の目的のひとつは、コロナ・パンデミックのせいで久々の開催となった保守派の国際会議であるCPAC《シーパック》 Australia（2022年10月1日、2日）に参加し、安倍元総理の盟友だったトニー・アボット元豪首相にインタビューすることでした。

CPACとは、Conservative Political Action Conference（保守政治活動会議）の略で、1974年にAmerican Conservative Union（ACU：アメリカ保守連合）とヤング・アメリカンズ・フォー・フリーダムによって、保守派の集会として設立されました。1974年のCPACではロナルド・レーガンが基調講演を行い、2011年のCPACでドナルド・トランプが行った演説は、トランプが共和党内で政治的キャリアをスタートさせるきっかけになったと言われています。

その後、CPACはアメリカの外にも広がり、オーストラリアでは2019年に初めて開催されましたが、アンティファが押しかけて揉み合いとなり、流血騒ぎとなったうえ、コロナが広がってしまったので開催できず、やっと2022年10月になって2回目の開催

に漕《こ》ぎつけたのでした。

私がアボット元首相にインタビューを申し込むと、アボット氏からはＣＰＡＣ Australia の会場で会えないか、との提案があったので、急遽、ＣＰＡＣ Japan の主宰者で、ＣＰＡＣ Australia にも参加するＪＣＵ（Japanese Conservative Union）の、饗場浩明《あえばひろあき》議長にアレンジをお願いしてインタビューを実施しました。

トニー・アボット元首相は、２０１３年から２０１５年まで、自由党（Liberal Party）総裁で第28代首相の座にあり、当時日本の総理大臣だった安倍晋三氏とたいへん懇意だったことで知られています。９月27日に行われた国葬儀にも、現首相のアルバニージ首相をはじめ、二人の元首相とともに参列してくれました。

以下は10月１日に実施したインタビューの概要です。

＊日本語字幕付き動画のＵＲＬは、https://youtu.be/osEYJUluepk

＊　＊　＊

山岡：ご多忙の中お時間をいただき、ありがとうございます。日本はいかがでしたでしょうか？

アボット：日本に行くことは常にいいことなのですが、このような悲しい事情で行きたくはありませんでした。しかし、生前の安倍さんにふさわしい敬意を払えたことは嬉しいことでした。

彼は、私にとってもオーストラリアにとっても偉大な友人でした。オーストラリアから現役の首相と元首相3人の4人が訪れたことで、長期に渡り政権を維持しただけではなく、グローバルな影響を与えた偉大な政治家に敬意を示すことができたと思います。

オーストラリアにおけるコロナからの回復をどう見ているか？

山岡：ありがとうございます。本当に感銘を受けました。それでは早速質問させていただきます。コロナやその他の国際的な混乱からの回復という点で、オーストラリアは全体としてどのような状況にあるとお考えでしょうか？

アボット：経済的にも戦略的にも非常に難しい時代でした。最近の数十年で最も試練に満ちた時代だったと思います。COVID-19は世界のサプライチェーンに明らかに大きな衝撃を与えました。中国は非常に攻撃的になり、特にオーストラリアの貿易に混乱を及ぼしました。多くのことがなされねばなりませんでしたが、経済的混乱の中で、現在の政府の施策には逆効果になるものもあるのではないかと心配しています。

例えば、現政権はすでに大きなインフレ圧力がある中で、二酸化炭素排出の43%削減目標を法律化したことは、生活費の圧迫に拍車をかけることになるでしょう。間違った政策もありますが、その上で現在のアルバジーニ労働党政権はモリソン自由党の戦略的政策を概ね引き継いでおり、安倍さんが創設したクワッドを熱烈に支持し、中国の苛めに対しても厳しい姿勢で臨んでいる点は評価できると思っています。

中国の太平洋への進出に対して、オーストラリアのような民主主義国家が適切に対抗する姿勢を示していると思います。

山岡：オーストラリアは自給自足ができる国という印象があり、このような困難に時代にあって最も早く回復できる位置にいるのではないでしょうか？

アボット：はい。私は首相時代によく言っていたのですが、オーストラリアはエネルギーや資源、食糧の観点から世界の安全保障上の供給地となることができます。我々は確かにそれらすべてのものを供給することができます。しかし、矛盾なのは、石炭や天然ガスやウランの埋蔵量が常に豊富にありながら、驚くべきことに輸出ばかりして自分たちではほとんど使っていないのです。

実際、国内ではウランをほとんど使っていません。今後、二酸化炭素排出のネットゼロを目指すというなら、核エネルギーに移行しなくてはなりません。

中国による台湾侵攻の可能性に関して

山岡：ここでややシリアスな質問をさせていただきます。

もし、中国が台湾を攻撃した場合、ジョー・バイデンが繰り返し述べているように、アメリカは台湾を守りに来ると思いますか？

アボット：それはいわゆる＄64クエスチョンですね。（＄64クエスチョンとは、非常に重要で答えるのが難しい、または複雑な問題という意味。１９４０年代のラジオ番組「Take It or Leave It」のタイトルから取られたもの）興味深い質問でもあります。

バイデンは、これまで4回も「台湾を守る」と力説していますが、そのたびにホワイト

トニー・アボット元豪首相と

ハウスは「曖昧戦略の方針は変わっていない」と苦心しながら説明しています。私が思うに、バイデン大統領は、ひょっとしたら従来の曖昧戦略を維持しながら、極めて巧妙にその意味を変えてしまったのかもしれません。

日本の政府高官が台湾について率直に発言していることも興味深いです。実際、最近の安倍さんのスピーチの中で、台湾有事は日本の有事であり、すなわちアメリカの有事であると言いました。

日本が台湾を支援することになれば、ほぼ間違いなくアメリカを巻き込むことになるでしょう。日本と台湾、台湾とアメリカの間には緊密な同盟関係があります。

人口14億の中国と2300万人の台湾が戦えば、かなり不均衡な戦いになります。しかし、もし中国が民主主義連合と戦うのであれば、まったく別の話です。

結局のところ、いじめっ子に対しては力を示すしかないのです。民主主義国家群がどれほどウクライナを支援するか最初から知っていれば、プーチンもウクライナ侵略を思い留まったはずです。

山岡：バイデンが賢く振舞っていることを期待したいのですが……。米国が台湾を助けに来なかった場合、オーストラリアはどうすると思いますか？

アボット：それもいい質問ですね。もし、アメリカが関与した場合、オーストラリアはアメリカと非常に近い同盟国として行動すると想像しています。

アメリカが関与すれば、必然的にオーストラリアも関与するでしょう。もしそうでなければ……想像したくありませんね。

山岡：確かにこれは非常に難しい質問でしたね。日本とオーストラリアの立場は非常によく似ていて、どちらもアメリカを助ける立場にある。ということは、アメリカがそこにいることが前提なわけです。

アボット：その一方で、日本は中国に対峙する第一列島線に位置します。台湾も同様です。もし台湾が非友好的な大国の支配下に置かれたら、それは当然、日本にとって非常に重要な事態となります。ですから、悲惨な衝突は何としても避けねばなりません。

東アジアで戦争が起これば。ウクライナ戦争とはケタ違いの悲惨な結果となるでしょう。ですから台湾海峡を巡る対決を避けるために、あらゆることをしなければなりません。しかし、戦争を回避する唯一の方法は、現状を変えようとする中国の試みの代償を上げることだと思います。

山岡：はい、だからこそ、我々は中国に対する抑止力を高めていく必要があるんですね。安倍元首相が述べていたように、台湾の危機は日本の危機です。しかし、中国は間違いなく核攻撃で日本を脅迫するでしょう。そうなると、極めて難しい状況になります。

アボット：だからこそ、北京政府に「台湾侵攻は簡単だ」と誤解させないことが絶対に必要なのです。

山岡：その通りですね。次の質問はさらに難しいかもしれません。

台湾をめぐる戦争が始まると仮定して、オーストラリアの世論が戦いを諦めるまでに、どれだけの経済的・軍事的ダメージを許容することができるでしょうか？　というのも、一度戦争が始まると、ヨーロッパ諸国はウクライナに非常に協力的でしたが、実際にはロシアからのガス供給に頼っているのです。日常生活で苦境に陥ってしまった場合、その元凶である不景気を許容することはできないでしょう。

アボット：先ほど申し上げたように、ウクライナ戦争に伴う混乱は、台湾海峡を挟んだ戦争に伴う混乱に比べれば比較的軽微です。だからこそ、中国政府に「この戦争に勝者はいない」と知らせるためにあらゆる手を尽くすことが重要なのです。そして、最終的に最大の敗者となるのは中国自身である可能性が高いということを理解させねばなりません。

山岡：その通りですね。我々はそのように仕向けなければなりません。

さて、次の質問は比較的単純です。日本もAUKUS《オーカス》（2021年に発足した豪英米軍事同盟）に参加すべきだと思いますか？

アボット：はははは。まず、日本は間違いなく大国です。世界3位の経済大国でもあります。自らに課している憲法上の制限や支出制限にもかかわらず、日本は非常に重要な軍事大国です。安倍さんが遺した偉大な遺産の一つは、日本が普通の国になるために必要なことが日本人の間で認識されるようになったことだと思います。

世界では過去に悪いことが起こったことをみんな知っていますが、我々は過去に生きるべきではありません。我々は現在に生き、未来に目を向けなければなりません。

日本が西太平洋の主要な民主主義国として、自由主義の世界で正当な地位を占めるならば、より良い未来になると思います。ですから私は、日本と他の主要な民主主義国との間の戦略的関係がこれまで以上に緊密になることを望んでいます。AUKUSは、オーストラリアと2つの偉大で強力な友好国を結びつけるものであることは明らかです。しかし、日本もまた偉大で強力な友人ですから、その可能性を可能な限り深めていこうではありませんか。

「歴史は良い教師であるが、悪い師でもある」

山岡：安倍さんが、オーストラリアの国会で演説するためにキャンベラに来たときの、あなたのスピーチを私は今でも覚えています。

演説後の記者会見であなたはこう言いました。「日本を公正に扱え（Give Japan a fair go）」。

あれは歴史的なメッセージでした。

アボット：ありがとうございます。まず、安倍さんのスピーチについて、信じられないほど光栄に思ったことを覚えています。安倍さんが英語でスピーチすることを選んだとき、かなりの努力を要したことは知っています。でも、彼がそうしてくれたのは素晴らしいことでした。

もうひとつは個人的なことですが、私はさまざまな状況で安倍さんと一緒にいることを本当に楽しんでいました。2014年末の東アジアサミットで、安倍さんを含めて4人で話していると、突然中国の首相が1930年代に起こったことについて安倍さんを非難し始めたのを覚えています。とても気まずい空気が流れました。

その時、私はとっさにそばにいたブルネイの国王に大声で「イギリスがあなた方にしたことに慄然《りつぜん》とされていることでしょうね」と言って、幸いにもその場を和ませることができました。

そして私はさらに言いました。「歴史は良い教師であるが、悪い師でもある」と。中国の指導者たちの多くが、日本に対して過去を武器にして有利な交渉をしようとしていますが、私はそれは、まったく間違っていると思います。

現代の日本についてひとつだけはっきり言えることがあるとすれば、日本はドイツと同様に、第二次世界大戦の教訓からよく学んでいるということです。現在の日本の政治家に軍国主義的な要素はまったくなく、軍国主義的な骨は一本も残っていないと思っています。
しかし、もし日豪が同盟を結べば、強力な同盟関係になると思います。

山岡：最後に、安倍晋三を失った日本人へのメッセージをお願いします。

アボット：日本の皆さんには、彼が広い世界で尊敬され、重要な人物であることを評価してほしいですね。日本国民には安倍さんが世界でどれほど尊敬され、重要な存在であったかを理解してほしかったです。

伝統的に「預言者は自国では名誉がない（Prophets have no honor in their own country）」と言われます。しかし、安倍晋三は広い世界で大きな名誉を得ました。私は日本の皆さんにそのことを評価してほしいのです。

国葬を巡って多くの議論があったことを知っていますが、私には理解しがたいことでした。安倍さんは単に最長の政権を保っただけではなく、世界的にも重要な人物でした。

彼への敬意を表すために、世界中から多くの指導者が東京に集まったという事実は日本人にとってでも印象深いことだったはずです。

山岡：その通りです。そしてそれが、政府が国葬を決定した主な理由のひとつです。
メディアではあなたがおっしゃる通り、国葬を巡って大きな論争があり、多くの人々が反対していると伝えられました。しかし実際には。はるかに多くの人々が支持していたのです。反対していたのは一部の人たちだけでした。

それはやはり見ていて悲しく、不愉快なことでした。しかし、日本人の大多数はあなたと同じように深い喪失の中にありました。

アボット：その通りですね。私たちは安倍さんがもうこの世にいないという現実を受け止めなくてはなりません。しかし、私たちは彼の思い出を尊重し、彼の遺産を大切にし、彼を規範として扱うべきだと私は信じています。

山岡：そして、最後に、私は日本国民を代表してあなたとオーストラリアの人々、オーストラリア政府に感謝の言葉を述べたいと思います。

暗殺事件の後、頼まれもせずに、安倍元総理のためにいろいろなことをしてくれました。それこそが、両国の深い友情、真の友情の証であると私は固く信じています。

アボット：私もそう信じます（Me, too!）。

山岡：改めて、本日はご参加いただき、誠にありがとうございました。

CPAC Australiaは、約1000人の観客を会場に集め、盛会のうちに終わりました。

アボット元首相の他にも、イギリスをEU離脱に導いたナイジェル・ファラージ氏などの有名人も登壇し、立派な会議であったが、過激化する左派からレイシスト呼ばわりされて攻撃されているのが現状でもあります。なんと開会の3週間前に突然予約してあった施設から「保守には貸せない」と一方的にキャンセルされ、慌てて別の場所を探してなんとか開催したという話を聞いて驚嘆しました。

自由民主主義の国オーストラリアにも、キャンセルカルチャーの嵐が吹き荒れているということです。

本書では、日本が「グローバル全体主義」によって蹂躙されてしまわないための提案として「シン・鎖国」を唱えてきました。しかし同時に、相互に主権国家であることを尊重し、敬意を払いつつ、ある部分では国境を超えて連携を深めていくことでしか「グローバル全体主義＝世界統一政府化」を防げないことも伝えたいと考えています。

反グローバリズムの立場で活動する世界中の仲間と繋がり、協力していくこと、相互に力を与え合うことの重要性は、今後ますます高まるだろうと思います。

あとがき　「シン・鎖国論」の精神と留学のススメ

軍事力による戦いという意味での戦争は、1945年9月2日の降伏文章調印をもって終わりましたが、アメリカは即座に次の戦争を開始していました。

それは、日本人と日本を改造して、二度とアメリカの脅威にならないようにする作戦の開始でした。国際法違反の占領軍製憲法を押し付けただけでなく、厳しい言論・思想統制が行われ、20万人以上が公職を追放されました。

これは国を丸ごと洗脳してしまおうという前代未聞の大作戦であり、戦時中に中国共産党（八路軍《はちろ》）が日本人捕虜に対して行った洗脳プログラムを参考にしたものでした。

しかし、日本人はそれを自らに仕掛けられた戦争だとは認識できず、むしろアメリカに感謝し、従順に従ったまま今日に至っています。

つまり、日本は二度敗戦したのです。二度目の敗戦は認識していなかったという意味において、より深刻だったとも言えるでしょう。

最近になって研究が進み、戦後アメリカが実行した日本人改造（洗脳）作戦の全容が、かなり明らかになってきました。それらを詳《つまび》らかに示し、日本人の覚醒を促そうとする本も出版されました。

もちろんそれは素晴らしい前進なのですが、日本人は被害者だったという視点でいるうちは、本当に洗脳を説くことができない、と私は考えています。

たとえ、日本人に罪悪感を持たせるウォー・ギルト・インフォメーション・プログラム（ＷＧＩｐ）について完全に理解したとしても、「吉田茂が占領軍と互角に渡り合って戦後日本の繁栄を築いた」などという作り話を信じている限りは、洗脳から脱することはできません。吉田ドクトリンという幻想自体が洗脳プロパガンダだからです。

その認識から早く一歩も二歩も踏み出さないといけません。

アメリカの日本統治と日本人洗脳がいかに巧妙だったと言っても、積極的に協力する日本人がいなければここまで成功するわけがありません。その代表格こそが吉田茂だったのです。

敗戦利得者という言葉がありますが、「たまたま結果として得した人たち」という印象を受けます。しかし、吉田茂を筆頭とする「アメリカの日本統治に積極的に協力した人たち、あるいは組織」は、単なる利得者ではなく、アメリカの日本統治メカニズムを構成する主要なパーツとして機能していたのです。

私がこういう話をすると、「日本は戦争には負けたが、外交で勝ったんだ！」「ソ連に占領されたほうが良かったとでも言うのか！」などと、極めて感情的な反応をする人がいます。たしかに、〝吉田ドクトリンという幻想〟が、戦争に完敗した日本人のプライドをなんとか保つ役割を果たしてきたことは事実でしょう。それを否定されることは大きなショックかもしれませんが、幻想を大事に抱えているうちは、断じて真の独立を果たすことなどできやしないのです。まず、冷酷な現実に向き合う勇気が必要です。

吉田茂伝説が否定されても、動揺する必要など全くありません。

日本には国士と呼ぶべき立派な人もまたたくさんいたのです。その代表格が、本文でも紹介した重光葵です。

もしあの時、重光が火の玉のようになってマッカーサーと戦うことなく、占領軍による軍政が敷かれていたなら、今頃は日本語も失われ、日本人の民族性にも重大な悪影響を及ぼしていたに違いありません。

その重光も、東京裁判によって公職を追われてしまいます。

つまり、公職追放された人々の中にこそ、真の愛国者がいた可能性が高いのです。しかし、公職追放された（占領軍にとって都合の悪い）人々は、意図的に歴史の表舞台から消されていますので、ほとんどの日本人は、現役の外交官まで含めて、重光葵のことを知りません。これこそが、洗脳の結果なのです。

我々は今こそ、日本が真に誇るべき人々を思い出して再評価すべきです。

吉田としては本当に知恵比べのつもりだったのかもしれませんが、実質的には「ずっと占領していてください」と懇願していたのと同然でした。結果は、米軍が撤退するどころか、わが国は日米安保条約をはじめとするさまざまな協定や密約によって何重にも縛られることになったのです。その全容は総理大臣ですら知らず、全体をコントロールすることができない状況です。

全国に存在する米軍基地や施設、日米地位協定、日米合同委員会、そして首都圏上空に広がる広大な制限空域は、日本が実質的に占領下にあることの明示的な象徴です。

日本は完全にアメリカに統合（integrated）されており、戦前のような独立国家に戻ることはもはや不可能であると断言する識者もいます。

安倍晋三元首相は、恐らくそのことを誰より深く認識していながらも、なお独自の外交と防衛政策を推進したことで、国際社会から高い評価を受けました。

まさに「戦後レジームからの脱却」を、自ら身をもって示し、日本を真の独立国家に導きたかったのでしょう。

しかし、そこには二つの問題がありました。一つは、あまりにも危険な試みであったこと。もう一つは、外交力によって国際的評価を高める安倍首相の姿を見た国民に、自国が名目的な独立国家に過ぎないという現実を忘れさせてしまったことです。

安倍元首相が凶弾に倒れた後、驚くような速度で日本が崩れ出したのは、ある意味当然のことでした。たったひとりの政治家が亡くなっただけでここまで急激に崩壊するのか？と、愕然たる思いにとらわれた人も多かったと思いますが、安倍元首相の暗殺死は、日本独立の試みの頓挫《とんざ》であり、堤防の決壊を意味しました。

岸田首相の、いつも怯《おび》えたような虚《うつ》ろな顔と空しい言葉の羅列、そして理念を全く感じさせない外交姿勢は、我々を吉田茂の時代に連れ戻し、逆に現実を直視する機会を提供したと言えるかもしれません。

明治維新から、第二次世界大戦敗戦で大日本帝国が滅亡するまでが77年。敗戦から2023年までで78年です。一つの時代が終わりを告げても、まったく不思議はありません。日本人は一般的に、戦争を避けて経済発展に専念することによって奇跡の復興を成し遂げることができたのだ、と賢く立ち回ったつもりでいます。しかし、すでに詳説したように、それは間違いです。日本の戦後は、属国平和主義を基盤とした経済至上主義だったのですから、経済が駄目になれば、属国状態しか残らないのは当然のことです。前述したように、すでに国民がどんなに額《ひたい》に汗して働いてもどんどん貧しくなる構造が完成しており、岸田政権はそれを一層強化しています。国が亡びるときはこういうものなのでしょう。

元駐日アメリカ大使のエドウィン・O・ライシャワー氏は次のように述べています。

「第二次世界大戦に敗れ、外の世界との接触はこりごりだという心境に陥った日本は、世界の政治的現実には関係せず、経済復興だけに意を注いで成長してきました。月世界の住民であるかのように、地球を離れた軌道を回って貿易に精を出し、地上のごたごたには『我関せず』の態度をとる一方、再軍備反対と平和を唱え、国連支持を建前にして過ごしてきた30余年の歳月でした。

都合が悪くなると全速力で地球を離れ、月世界に戻ってだんまりを決め込み、事がおさまるのをじっと待つ、それが戦後日本の常套手段だったのです」（文藝春秋『日本の国際化』１９８９年）

完全に見透かされていますが、まさにこれが吉田ドクトリンのもたらした、戦後日本人の行動様式でした。重光葵の精神の対極です。

今、我々がすべきことは、長い戦後の夢から覚め、日本の厳しい現実を直視し、１９４５年に戻ってやり直すことです。その際に必要なことは鎖国の精神を取り戻すことです。国を閉ざして引き籠るのではありません。だれにも頼らず自らの足で立ち、外国の侵略行為を察知して跳ね除け、主体的に取り入れるものと入れないものを取捨選択するのです。それが「シン・鎖国」の意味です。

そして、外国との付き合いは、国という単位だけで選別するのではなく、志と価値観を共有する人々と連携する姿勢を持つのです。

アメリカにも、日本は自立して対等な日米関係になるべきだと考える人々がいます。

日本経済の長期低迷によって、日本の若者はすっかり元気がなくなってしまいました。実際、海外への留学生も激減しています。未知のものに挑もうというマインドが失われてきているように思えます。それでは絶対に駄目です。

岸田首相は2022年3月、コロナウィルスの水際対策緩和について開かれた記者会見の中で、「留学生はわが国の宝」などと呆けた発言をしていました。

違います。海外に留学する日本人学生こそが、わが国の宝なのです。チャレンジする気力と能力のある学生をいかに積極的に支援し、将来日本のために働いてもらうための合理的な制度作りをするのが国の仕事ではないかと思います。宝である日本の若者を積極的に海外で学ばせることに集中すべきです。そうしたマインドを国として支えるのです。

世界を知ることは、日本を知ることです。日本人は世界に出て、初めて日本の良さ、素晴らしさを知るのです。

逆説的ですが、海外在住の日本人ほど愛国心をもって日本の行く末を心配しています。私自身も海外で学び、グローバル企業で世界中の人間と仕事をしてきたからこそ、グローバリズムの脅威が皮膚感覚でわかります。そして、グローバリズムの脅威に対抗して日本を守ることができるのは、健全な愛国心を持ちながら、世界のどこでも戦える力を鍛えてきたグローバル人材なのです。そういう若者をたくさん育てなければなりません。


日本は運が悪ければ、5年以内に滅亡するでしょう。現在の対米従属から、米国と中国への両属になる可能性が高いです。運が良くても、今のままなら10年は持ちません。

しかし可及的速やかに、「正しいシン・鎖国」をスタートさせ、真の独立のために一定数以上の日本人が覚醒して行動を起こせば、奇跡が起こるかもしれません。

必死の努力があれば、神風が吹くかもしれません。

第二次大戦末期、多くのまだあどけない10代の若者たちが、特攻隊員として散って行きました。

彼らは、日本が戦争に負けることを知りながらも、日本民族の自立と国の存続を願って、自分たちの家族の安寧を願って、その捨て石となる覚悟で散って行きました。

靖国神社に参拝するたびに、私の耳には「我々の過去の行動に感謝するのではなく、本来の日本を取り戻してほしい。そのためにこそ我々の献身があるのだ」という声が聞こえてきます。

もう時間がありません。本書に込められたメッセージが一人でも多くの日本国民に届くことを願って筆を擱《お》きます。

最後に、タイムリーなコンセプトを提案し、辛抱強く本書の出版を実現してくれた方丈社の小野塚己氏に感謝の意を表します。

主要参考文献・関連URL（順不同）

『鎖国の正体』　鈴木荘一著　柏書房　２０２２年
『なぜ秀吉はバテレンを追放したのか』　三浦小太郎著　ハート出版　２０１９年
『西洋の自死』　ダグラス・マレー著　町田敦夫訳　中野剛志解説　東洋経済新報社　２０１８年
『戦略的「鎖国」論』　西尾幹二著　講談社　１９８８年
『「労働鎖国」のすすめ』　西尾幹二著　ＰＨＰ研究所　１９９２年
『「鎖国」を見直す』　荒野泰典著　岩波書店　２０１９年
『バテレンの世紀』　渡辺京二著　新潮社　２０１７年
『日本の歴史「鎖国」という外交』　ロナルド・トビ著　小学館　２００８年
『戦国日本と大航海時代』　平川新著　中央公論新社　２０１８年
『ナショナリズムの美徳』　ヨラム・ハゾニー著　庭田よう子訳　中野剛志・施光恒解説　２０２１年
『難民鎖国ニッポンのゆくえ』　根本かおる著　ポプラ社　２０１７年
『家光は、なぜ「鎖国」をしたのか』　山本博文著　河出書房新社　２０１７年
『ルポ　入管』　平野雄吾著　筑摩書房　２０２０年
『巣鴨日記』　重光葵著　山岡鉄秀解説　ハート出版　２０２３年
『対談　吉田茂という反省』　阿羅健一・杉原誠四郎著　自由社　２０１８年
『重光葵と戦後政治』　武田知己著　吉川弘文館　２０１３年
『外交回想録』　重光葵著　中公文庫　２０１１年
『重光葵　連合軍に最も恐れられた男』　福冨健一著　講談社　２０１１年

『吉田茂という病』　杉原誠四郎・波多野澄雄著　自由社　２０２１年
『続・吉田茂という病』　杉原誠四郎・波多野澄雄著　自由社　２０２２年
『１９４９年の大東亜共栄圏』　有馬哲夫著　新潮社　２０１４年
『日本よ、歴とした独立国になれ！』　山下英次著　ハート出版　２０２３年
『中国、ロシアとの戦い方』　アンドリュー・トムソン著　山岡鉄秀訳　ワニブックス　２０２２年
『左翼リベラルに破壊され続けるアメリカの現実』　やまたつ著　徳間書店　２０２２年
『北米からの警告』　やまたつ著　徳間書店　２０２３年
『重光葵と戦後政治』　武田知己著　吉川弘文館　２０１３年
『閉された言語空間』　江藤淳著　文藝春秋　１９４４年
『拒否できない日本』　関岡英之著　文藝春秋　２００４年
『銃・病原菌・鉄（上・下）』　ジャレド・ダイアモンド著　倉骨彰訳　草思社　２０１２年
『文明の衝突（上・下）』　サミュエル・ハンチントン著　鈴木主税訳　集英社　２０１７年
『グレート・リセット』　クラウス・シュワブ　ティエリ・マルレ著　藤田正美他訳　日経ナショナル ジオグラフィック社　２０２０年
『グレート・ナラティブ』　クラウス・シュワブ　ティエリ・マルレ著　北川蒼訳　日経ナショナル ジオグラフィック社　２０２２年
『第四次産業革命』　クラウス・シュワブ著　世界経済フォーラム訳　日本経済新聞出版社　２０１６年
『大本営発表』　辻田真佐憲著　幻冬舎　２０１６年
『自滅するアメリカ帝国』　伊藤貫著　文藝春秋　２０１２年
『世界史としての「大東亜戦争」』　細谷雄一著　ＰＨＰ研究所　２０２２年

『経済安全保障リスク』 平井宏治著 育鵬社 2021年
『経済安全保障のジレンマ』 平井宏治著 育鵬社 2022年
『トヨタが中国に接収される日』 平井宏治著 ワック 2022年
『イスラエルの頭脳』 川西剛著 祥伝社 2000年
『日本遥かなり』 門田隆将著 PHP研究所 2015年
『そのとき、日本は何人養える?』 篠原信著 家の光協会 2022年
『日本の食の危機』 鈴木宣弘・マンガデザイナーズラボ著 方丈社 2023年
『移民の政治経済学』 ジョージ・ボージャス著 岩本正明訳 白水社 2018年
『移民の経済学』 友原章典著 中央公論新社 2020年
『脱税の世界史』 大村大次郎著 宝島社 2021年
『タックス・ヘイブン』 志賀櫻著 岩波書店 2013年
『知ってはいけない隠された日本支配の構造』 矢部宏治著 講談社 2017年
『本当は憲法より大切な「日米地位協定入門」』 前泊博盛著 創元社 2013年
『追跡!謎の日米合同委員会』 吉田敏浩著 毎日新聞出版 2021年
『「日米合同委員会」の研究』 吉田敏浩著 創元社 2016年
『日本人を狂わせた洗脳工作』 関野通夫著 ハート出版 2022年
『大本営参謀は戦後何と戦ったのか』 有馬哲夫著 新潮社 2010年
『日本人が知らない近現代史の虚妄』 江崎道朗著 SBクリエイティブ 2021年
『世界の未来は日本にかかっている』 アンドリュー・トムソン著 山岡鉄秀訳・監修 育鵬社 2021年
『角川まんが学習シリーズ日本の歴史9江戸幕府、始動』 KADOKAWA 2015年

「歴史通」　ワック　２０１１年９月号

・**石井孝明ブログ「クルド人の男、記者石井孝明への「殺すぞ」との脅迫で逮捕、2日後釈放」**
https://withenergy.jp/3475

・**「移民」と日本人〈独自〉クルド人の男、ジャーナリストを「殺す」「死体持ってくる」脅迫容疑で逮捕　産経新聞　２０２３年９月29日**
https://www.sankei.com/article/20230929-LPZOWKCT35LNTKN4VYLOMYC6LA/

・**全国有志医師の会**
https://vmed.jp/

・**『日本経営倫理学会誌』第27号（２０２０年３月）**
法人企業統計調査に見る企業業績の実態とリスク　相川清
https://www.jabes1993.org/Journal%20of%20Japan%20%20Society%20for%20Business%20Ethics_27.pdf

・**「子ども未来戦略」**
https://www.cas.go.jp/jp/seisaku/kodomo_mirai/pdf/kakugikettei_20230613.pdf

・**イラストで楽しく学ぶ 谷田部会計チャンネル**
所得税（21）株式分離課税と1億円の壁／累進性は失われ、逆進性が加速

https://www.youtube.com/watch?v=6JnQ-x_pwyQ

消費税（16）消費者が負担する間接税ではない！実は物価の一部で直接税です

https://www.youtube.com/watch?v=OcAnq3JTC1w&t=411s

消費税（18）輸出企業に戻す消費税は単なる補助金

https://www.youtube.com/watch?v=WHsSyAb63Pk

消費税（19）起源はフランスの輸出補助金！消費増税は貿易摩擦を生む

https://www.youtube.com/watch?v=ap_mmFCKtKk

消費税（20）派遣社員の増加を促し、少子化の原因にもなる

https://www.youtube.com/watch?v=v9npDI_AUJ4

消費税（21）消費増税の一方で法人税と所得税は減税！所得税の『1億円の壁』とは

https://www.youtube.com/watch?v=Y7dQCoD3Vo0&t=14s

消費税（22）デフレを助長し人命まで奪う

https://www.youtube.com/watch?v=jsWpq5sAlf0

消費税は直接税！軽減税率は格差を広げる

https://www.youtube.com/watch?v=ef5F1v_iMGY

・安いニッポン 買われる日本　DIAMOND online

https://diamond.jp/list/feature/p-cheap

・令和専攻塾8月集中講義　ジェイソン・モーガン麗澤大学准教授　２０２３年８月20日

デザイン　八田さつき
DTP　山口良二

シン・鎖国論《さこくろん》

日本の消滅を防ぎ、真の独立国となるための緊急提言

2023年11月3日　第1版第1刷発行

著者　山岡鉄秀《やまおかてつひで》

発行人　宮下研一

発行所　株式会社方丈社

〒101-0051

東京都千代田区神田神保町1-32 星野ビル2階

tel.03-3518-2272 / fax.03-3518-2273

ホームページ https://hojosha.co.jp

印刷所　中央精版印刷株式会社

ISBN978-4-910818-11-5